KB103775

오시할아버지

오시할아버지

발　행 | 2016년 11월 08일
저　자 | 김은진
펴낸이 | 한건희
펴낸곳 | 주식회사 부크크
출판사등록 | 2014.07.15.(제2014-16호)
주　소 | 경기 부천시 원미구 춘의동 202 춘의테크노파크2단지 202동 1306호
전　화 | (070) 4085-7599
이메일 | info@bookk.co.kr

ISBN | 979-11-272-0679-6

www.bookk.co.kr

이젠 어른이 된 친구에게 보내는 편지

오시할아버지

김은진 지음

목　차

책을 내면서...

이 책을 쓰면서 나는 먼 기억으로 여행을 다녀왔다.

어떤 조각 퍼즐들은 깨어져 가물거렸고 어떤 조각들은 미소를 자아내었다.

잠시, 가던 길을 멈추고 뒤돌아서서는 길게 뻗은 가로수 길의 저 끝탱이 어디쯤을 나는 발끔치를 들고 한참을 쳐다보았다.

이 만큼 온듯한데 나는 여전히 좌충우돌하며 지금도 성장하고 있다.

아마도 우주가 인생을 준 이유가 이것인가 보다.

특별히 나의 초등친구들에게 이 책을 바치고 싶다.

좌충우돌하며 모두들 열심히 살아 내고 있다.

그리고 편지를 보내준 친구 문희, 현수에게 감사의 마음을 전하고 싶다.

책을 쓰는 동안 참 행복했다.

이 행복감을 이제 독자들에게 나누어 주련다.

2016년 10월 27일 새벽 은진이가

제 1 화 봄봄

옛날 옛날에 숙이라는 10살배기 소녀가 살았다.

보통의 키에 양 갈래로 땋은 긴 머리, 얼굴에는 잔뜩 주근깨가 나 있는 평범해 보이는 계집아이였다.

가끔 우악스러워지기도 하지만 명랑하고 활발한 소녀 숙이는 친구들하고 잘 어울려 놀기도 하고 혼자서도 잘 노는 아이였다.

동네 앞, 호숫가에서 혼자 공상 놀이를 하는 것은 숙이의 취미생활이기도 했다.

공상 속에서 숙이는 늘 새들의 공주였다. 호숫가는 노랑 새와 파랑 새가 아름다운 노래를 부르는 곳이어서 맘껏 이 예쁜 새들의 공주가 되어 줄 수 있었다.

숙이가 사는 동네는 큰 공장을 가진 회사의 사택이었다.
숙이 아빠는 이 공장에 3교대로 출, 퇴근하는 분이셨다.
회사 정문에서부터 숙이네 동네까지 하늘을 찌를 듯 푸르른 가로수길이 나 있었다.
가로수길이 끝나는 곳에 두 개의 커다란 호수가 나왔다.
숙이는 이 호수들이 햇살을 받아 반짝거리는 것을 본 이후로 '반짝이는 호수'라고 불렀다.
버드나무 가지가 멋스럽게 늘어지고 푸르른 잔디와 예쁜 꽃들이 만발하는 호수는 동네 사람 모두의 사랑을 받았다.
여름에는 분홍빛 연꽃이 피어났고 겨울에는 꽁꽁 얼어서 천연 스케이트장을 만들어 주었다. 얼음이 녹을 쯤에는 각종 겨울 철새들이 백조의 호수로 만들어 주므로 누구는 데이트 장소로, 누구는 놀이터로, 누구는 산책의 장소로 애용하는 곳이었다.
숙이 아빠는 매일 자전거로 이 예쁜 길을 지나 출근을 하셨다.

동네 입구로 들어서면 아이들이 뛰어놀 수 있는 넓은 운동장이 나왔는데 일 년에 두 번 온 동네 사람들이 모여 이 운동장에서 체육대회 겸 동네잔치를 벌렸다.
이 잔치 기간에는 동네 아이들이 맛난 음식도 먹고 신나는 게임을 엄마, 아빠와 할 수 있어 오매불망 손꼽아 기다리는 날이기도 하였다.

운동장을 감싸듯이 질서정연하게 일제시대 때 지어진 근대식 집들이 줄지어 서 있었다. 각각 파랑, 빨강, 주황색으로 구분지어 지붕 색깔이 선명하게 칠해져 있었다.

집집마다 마당에 화단이 있었는데 사과나무가 한 그루씩 심어져 있고 각종 꽃들이 만발해 있었다.

낮은 산들이 품에 감싸 안듯이 형성된 한가롭고 평화로와 보이는 마을이었다.

동네 앞은 맑은 시냇물이 흘러 호수로 합류해 들어갔다.

이 시냇물에서 동네 아줌마들은 빨래도 하고 머리도 감았다.

이 개울을 따라서 '쑥골'로 이어진 작은 길로 밭이 형성되어 있었는데 숙이네 배추밭과 콩밭도 여기에 있었다.

언덕 쪽으로는 사과 과수원이 형성되어 동네 아이들의 신나는 서리 장소가 되었다.

봄이 오면 동네는 벚꽃 속에 잠기고 사과 꽃이 피어났다.

늘 아이들이 노는 소리가 들리고 저녁에는 밥 짓는 냄새가 나고 아이들의 이름을 부르는 소리가 들렸다.

"잉꼬야~이! 밥 먹어라!"

숙이네 엄마는 항상 재잘거리는 숙이를 잉꼬라고 불렀다.

밤이 오면 가로수길 옆으로 형성된 논에서 개구리 울음소리가 개골개골 들려 왔다.
새소리가 가득한 아침이면 집집마다 출근하는 아빠를 마중하는 아이들의 목소리가 우렁찼다.
"아빠! 회사 다녀오세요~~"

엄마, 아빠, 큰언니, 작은언니, 오빠 이렇게 6식구가 숙이네 가족이었다.
막내인 숙이는 식구들의 과잉 보호(?) 속에서 자랐다.
온 식구들이 엄마처럼 이것저것을 하지 말라고만 했다.
엄마, 아빠가 안 계시면 큰언니가, 큰언니도 없으면 작은언니가, 작은언니도 없으면 오빠가 엄마가 되었다.
뭐, 하지만 숙이는 불만은 없었다. 하지 말라면 안 하면 되니까.
막내인 숙이는 언니, 오빠들에게서 옷을 물려받았다.
언니들 옷뿐만 아니라 오빠 옷도 물려받았다. 심지어는 오빠 내복도 물려받았다.
뭐, 하지만 숙이는 불만은 없었다. 어차피 속에 입을 거라서 안 보일 테니까.
숙이는 다 너그러이 받아줄 수 있었다.

그. 런. 데.

해도 해도 너무한 일이 벌어진 것이었다.

11월로 접어들면서 제법 날씨가 싸늘해졌다.

지난해부터 오빠랑 작은언니가 스케이트를 사달라고 엄마에게 졸랐는데 겨울에 접어들자 다시 조르기 시작했다.

숙이도 재작년부터 인형을 사줄 것을 조르고 있었지만 벌써 2년째 유보 상태였으므로 작은언니나 오빠가 실패하리라 확신을 하고 있었다.

하. 지. 만.

엄마는 이제까지 잘 버티시더니 오빠에게는 스피드스케이트를 작은언니에게는 피겨스케이트를 사주셨다.

"엄마! 나는? 나도 피겨스케이트 타고 싶단 말야! 멋진 피겨스케이트 선수가 되고 싶단 말이야!"

"숙아, 이제 좀 지나면 다 니꺼가 돼. 둘 다 니한테 물려줄 건데 뭐~"

숙이는 필사적으로 악을 써봤지만, 엄마는 달콤한 회유의 말로 달랬다.

한편 엄마 말이 옳은 것 같아 잠깐 기분이 좋아졌다가는 당장 스케이트를 타고 싶은 마음이 점점 더 크게 자리 잡았다.

숙이는 몇 년을 기다릴 수는 없었다.

어느 날 학교 갔다 와 보니 오빠랑 작은언니는 아직 이었다.
때는 이때였다!
숙이는 두 개의 스케이트를 모조리 양쪽 어깨에 하나씩 메고는 아직은 덜 얼은 호숫가로 갔다.
물론,
걸리면 둘에게 숙이는 맞아 죽을 것이다. 요즘 스케이트가 둘의 보물 1호였기 때문이었다.
먼저 신어보고 싶었던 피겨스케이트를 신었다.
"뭐야! 내 발보다 두 배나 크잖아"
퉁퉁거리면서도 끝끝내 스케이트를 신고는 끈을 발목에 여러 번 칭칭 둘러메었다.
거인 스케이트를 신은 듯했지만 기어코 일어나 얼음 위로 발을 떼어 놓았다.
결과는 안 봐도 뻔했다. 발을 안 삔 게 다행이었다.
숙이는 계속해서 엉덩방아를 찧어 대면서도 고집불통처럼 굴었다.
안 되겠던지 이번엔 오빠의 스피드스케이트를 신었다. 상태는 별반 틀리지 않았다.
만신창이가 된 채로 두 개의 스케이트를 들고 집으로 돌아온 숙이는 한 번도 신지 않은 스케이트를 건드렸다고 둘에게 불호령을 맞았고 점점 불만이 머리끝까지 차올랐다.
"궁시렁, 궁시렁, 칫, 칫"

그 날 이후로 숙이는 반항아가 되기로 한 듯 삐뚤어지고 있었다.

엄마 놀이를 하는 '과잉보호쟁이'들의 "하지 마" 소리에 반항을 하기 시작했다.

더 하거나 안 들리는 척하기 시작했다.

숙이는 있는 힘껏 반항을 하는 대도 아무도 숙이 마음을 알아주는 식구가 없었다.

"야, 숙아 하지 마"

"아, 왜?!"

"잉꼬야 말 들어라, 하지 마라"

"아, 왜~애~?!"

안 먹혔다.

숙이는 그해 겨울 내내 삐뚤어지기, 말 안 듣기, 시키는 대로 안 하기 별 방법을 다 써 봤지만 도대체가 다들 콧방귀도 뀌지 않는 거였다.

2월 어느 날,

한 동네 꼬맹이를 보고 숙이는 놀라고 기가 막혔다.

"야, 니! 니 니"

그 꼬맹이는 분명 숙이 옷을 입고 있는 듯했지만 확신이 없는 숙이는 말만 더듬다가 엄마에게 부리나케 달려갔다.

"엄마, 동네 꼬맹이가 내 옷 입었어!"
"어, 맞다. 그 윗도리가 작아져서 가를 줬다"
"엄마, 그 옷은 내가 좋아하는 옷이란 말야!"
빨간색과 진남색의 작은 바둑판 모양으로 이뻐서 좋아라하는 옷 중의 하나였는데 기분이 몹시 나빴다.
"그럼 어떡해, 작아졌는걸. 니도 언니들한테 물려받잖아"
"그래도, 내 옷 다른 사람이 입는 건 기분 나쁘단 말야"
"못하는 소리가 없네. 언니들은 군소리 안 하고 지한테 다 물려주는구먼"
숙이는 더 말을 이을 수가 없었다.
이렇게 기분 나쁜데 언니들은 참고 숙이는 못 참은 것이었다.
그래도 숙이는 엄마에게 시위하기 위해 자리를 박차고 나와 버렸다.
이럴 때 숙이가 갈 곳은 한 군데뿐이었다.
호숫가 모퉁이에 쪼그리고 앉아, 눈물이 남아 있는 눈으로 유유히 헤엄치고 있는 겨울 철새들은 바라보았다.
한참을 보고 있자니 이리저리 날아다니던 철새들이 호수 중간으로 회오리를 그리듯이 모여들기 시작했다.
제법 여러 마리 무리가 모이더니 한 녀석이 위로 뱅글뱅글 돌면서 날아올랐다. 다른 녀석들도 같이 회오리를 그리면서 따라서 올라 갔다.

"어? 재네 뭐하는 거지?"

자기도 모르게 숙이는 일어섰다.

회오리를 그리며 하늘 높이 올라간 녀석들은 맨 위의 한 녀석이 북쪽으로 날아가자 금세 그 뒤를 따랐다.

그리고는 그 무리는 정확한 화살표를 북쪽으로 그리며 날아가기 시작했다.

"떠나는 거구나..."

그것을 지켜보던 숙이는 알 수 있었다.

어느 봄이 오면 작아진 옷은 숙이를 떠난다는 걸.

또 어느 봄날이 오면 정겹던 오리들도 떠난다는 걸.

또 더 어느 봄에는 숙이도 떠날 거라는 걸.

방향은 알겠지만, 그 누구도 알 수 없는 미지의 그곳으로...

숙이는 너무나 설레였다.

제2화 오시할아버지

명랑하지만, 가끔 말썽도 부리는 숙이가 젤 무서워하는 사람이 엄마일 거라고 생각하면 그건 틀린 답이다.
동네에서 숙이만 그런 것은 아니었다.

동네가 한눈에 들어오는 하굣길 언덕에서 아이들은 하나같이 내달리기를 좋아했다.
그럴 때는 꼭 이상야릇한 괴성들을 질러 댔다.
"끼야오오오~~"
양팔은 넓게 벌리고 마치 독수리가 된 것마냥 고개도 잔뜩 앞으로 내밀고.
특히나 토요일 3교시가 끝나는 12시쯤에는 달려 내려오는 아이들로 언덕은 뿌연 먼지가 자욱할 지경이었다.

요 때,

아이들이 날아갈 듯 내달리던 동작을 멈추고 순한 양처럼 입에 지퍼를 달게까지 하는 이가 있었다.

"야! 이놈들아! 멈추지 못해!"

오늘도 나타나셨다.

오시할아버지!

자그마한 키에 짧은 백발이 듬성듬성 나 있으시고 거뭇한 피부, 항상 입으시는 때가 많이 묻은 회색빛 작업복 차림이셨다.

늘상 메고 다니시는 지게에다가 손에 든 막대기를 늘 때리실 듯 휘두르셨다.

숙이가 젤 무서워하는 사람은 바로 오시할아버지였다.

오시할아버지가 어디에 사시는 분인지 아는 사람은 없었다.

아마도 숙이 생각으로는, 어디에서든 사시는 분인 것 같았다.

가시덤불 속에서도, 대나무 숲에서도, 호숫가에서도 불쑥불쑥 나타나셔서 나무 막대기를 휘두르시며 야단을 치셨다.

특히나 남자애들은 오시할아버지에게 딱 걸리는 날에는 호되게 야단을 먹고는 때리실까 봐 줄행랑을 놓는 경우가 잦은 편이었다.

숙이는 할아버지가 마을 청소부가 아닐까 생각했다.
잔디를 깎고 계신 모습도 보았고 커다란 나무를 다듬는 것을 보기도 했었다. 어떤 때는 커다란 집게로 동네방네 쓰레기를 주우시고 계셨다.
동네 어른들이나 아이들 할 것 없이 오시할아버지를 보면 인사를 했다.
어느 누구도 그가 누구인지 무얼 하시는 분인지 몰랐지만 그가 매일 동네를 깨끗이 청소하며 아이들을 훈계하고 다니셨기 때문에 무시할 수 없는 존재였다.

어느 날 숙이는 동네 몇몇 아이들이랑 모험을 떠나기로 하였다.
목표지점은 동네 뒷산인 대머리 산이었다.
숙이는 아직 한 번도 대머리 산에 가 본 적이 없었다.
처음이라서 숙이는 설레고 누구보다도 모험심에 불탔다.
대머리 산은 민둥산 같은 봉우리가 나란히 세 개가 있었는데 거기에 가면 동네와 송정 그리고 바다 쪽과 학교까지 모두 볼 수가 있다고 했다.
정말 멋진 모험이 될 것 같았다.
거기 가면 할미꽃이 지천으로 피어 있어 할미꽃도 많이 꺾어 오리라고 작정하고 올라갔다.
육안으로는 가까워 보였는데 생각보다 멀었고 숲은 생각보다 험했다.
길이 제대로 나 있지 않아서 수풀을 헤치며 친구들을 따라 줄줄이 올라가던 중이었다.
갑작스럽게 숙이의 눈앞에 무엇인가 날아와 콧등에 박혔는데 안면이 먹먹하고 피까지 났다.
친구들이 일제히 소리를 지르며 몰려 왔는데 콧등에 아카시아 나무의 가시가 박혔다는 거였다.
"숙아! 가만있어!"
"아아악!"
친구가 가시를 빼내니 시뻘건 피가 계속 나왔다.
숙이는 신고 있던 양말을 벗어 콧잔등에 대고는 한참을 누르고 있었다.

그런데 깊은 숲 속에서 익숙한 목소리가 들려 왔다.
"이놈들! 여기서 뭐 하는 거냐!"

아이들은 일제히 기겁하여 누구랄 것도 없이 마을 쪽으로 내달렸다.
숙이는 콧잔등의 통증도 잊고 부리나케 달렸다.
마을 쪽으로 거의 내려온 아이들은 숨을 몰아쉬며 주변을 살폈다.
"야! 안 쫓아 오셨겠지?"

"몰라! 우리가 거기에 있는지 어떻게 아셨지?"

무서운 오시할아버지는 언제나 우리를 감시하고 계시는가 보다, 그렇지 않고서야… 혹 귀신이실까?

"야 니네 그런 말 들었어? 오시할아버지가 전쟁 끝나고 남으신 간첩이시래"

"뭐? 그럼 무장공비야?"

숲 쪽에서 부스럭 소리가 들리자, 아이들은 혼비백산하여 각자 집으로 도망가 버렸다.

콧잔등 때문에 엄마의 추궁을 조금 듣기는 했지만 그래도 숙이는 오시할아버지에게 잡히지 않은 것이 다행이라고 생각했다.

오시할아버지는 우리를 감시하라고 보낸 간첩이실까?

초 가을경 사과가 익어갈 무렵, 또 하나 아이들의 즐거움이 기다리고 있었다.

동네에도 집집마다 사과나무가 있었지만, 아이들은 자기 집 사과보다도 마을 앞 언덕, 과수원에 있는 사과에 더 관심이 많았다.

그 날 작당은 작은언니가 꾸몄다.

저녁 식사 후 어두워 올 때를 기다려 작은언니와 숙이는 슬그머니 밖으로 나와 미리 약속한 운동장에서 작은언니의 친구들과 만났다.

작은언니는 아빠의 손전등도 몰래 가지고 나왔다.
엄마가 아셨다 하면 우린 죽은 목숨이었다.
작은언니의 작전은 간단했다.
좀 더 어두워지면 과수원 외등이 모두 소등될 때를 기다렸다가 소등과 동시에 살금살금 철조망을 넘어 들어가는 것이었다.
모두들 낄낄거리며 기대감에 부풀어 있었다.
작은언니의 신호 하에 소등되자 철조망을 넘었다.
사과는 꽤 알이 굵고 빨갛게 잘 익어 있었다.
치마를 입은 두 명이 치마를 벌리면 나머지 다른 사람들은 사과를 따서 치마에 담았다.

숙이의 치마에 빨간 사과가 그득그득 담길 때쯤, 또 그 익숙한 악마의 소리가 들렸다.
"야! 이놈들아! 뭐하는 짓이냐!"

모두 화들짝 놀라 도망쳤다.
숙이는 필사적으로 치마를 움켜잡고는 뒤뚱거리며 철조망을 넘었다.
작은언니는 철조망을 잡아주어 나갈 수 있도록 도왔다.
숙이와 작은언니 친구 일당들은 운동장을 가로질러 막 내달려 숙이네 집 뒷마당에 모였다.

"아이쿠 큰일 날 뻔 했네"
"잡혔으면 오시할아버지한테 야단 먹고 엄마한테도 야단 먹을 뻔 했네"
모두들 안도했지만 숙이는 하마터면 오줌을 지를 뻔했다.
지난번에 친구들에게 들은 이야기도 있고 해서 숙이는 언니들보다 더 무서웠다.
"자, 얼마나 땄는지 치마 내려 놔봐"
두 사람이 치마에 필사적으로 싸매고 온 사과를 내려놓자, 양이 꽤 되었다.
작은언니는 빨간 사과를 옷에 닦아서 숙이에게 건넸다.
사과 맛은 사탕보다 쵸쿄렛보다 달고 맛났다.
세상에서 젤 맛있는 사과 맛이었다.
모두들 행복하게 웃으며 얼굴만 한 사과를 먹었다.

으이구~~ 큰일이 나버렸다.
간밤에 오시할아버지 때문에 놀란 탓인지 숙이는 이불에 정말로 지도를 그렸다.
아침부터 엄마는 이불을 걷어 앞마당 빨랫줄에 걸으며 말했다.
"옆집 가서 소금 얻어 오너라"
"시~러~어~"
"으응~ 오줌 싸면 소금 얻으러 가는 거 몰라? 잡말 말고

어서 얻어와"

엄마는 대접을 숙이에게 건넸다.

숙이는 옆집 부엌문 앞에서 대접을 들은 채로 서 있었다.

그런 숙이를 발견한 정례 엄마가 숙이를 불렀다.

"숙아~ 왜 왔어?"

그 소리에 방에 있던 정례가 부엌으로 달려왔다.

"저...엄마가 소금 얻어 오래서요"

숙이는 대접을 들은 손이 투명해지는 것을 느꼈다.

사실은 얼굴이 투명해졌으면 좋겠는데...

"오줌 쌌구나?"

웃으며 대접을 받아 들고 부엌으로 들어가신 정례 엄마 뒤로 정례가 뛰쳐나오더니 입을 옆으로 잔뜩 찢어서 장난기 있게 웃으며 숙이를 쳐다보았다.

그 경험 이후 숙이는 오시할아버지를 피해 다녔다.

하지만 오시할아버지는 숙이의 일거수일투족을 모두 알고 계실 것만 같았다.

눈이 무척 많이 내렸던 겨울이 지나 어느 봄날, 이상히도 오시할아버지는 사라지셨다.

그해 겨울은 눈이 많이 내려 동네 아이들은 이글루를 만들고 놀았었다.

혹시… 오시할아버지는 눈이 너무 많이 내려 묻혀 버리신 게 아니실까?
숙이는 궁금했지만 알려고도 하지 않았다.

하굣길 아이들은 여전히 달음질쳐서 언덕을 뛰어 내려왔지만, 숙이는 아무 생각 없이 신나게 따라서 내달리다가도 멈춰서 주변을 살폈다.
동네 별장의 대나무 숲에서 놀다 온 어떤 날은 꿈에서 오시할아버지를 만났다.

오시할아버지는 그 이후 나타나시지 않았지만 숙이는 계속 지켜보고 계시는 것은 아닐까 생각했다.

제3화 송충이

이 세상 모든 어린이들이 그렇듯이,

숙이네 동네 아이들과 친구들은 올해도 곧 맞이하게 될 여름방학을 손꼽아 기다렸다.

방학을 하면 일단 맘껏 놀 수 있다는 것과 특별히 여름에는 바닷가에 간다는 것이 최고로 신나는 일이었다.

매년 여름마다 사택 동네에는 회사에서 바닷가로 가는 버스를 무료로 운행했는데 그 시기는 온 동네가 여름 내내 '붕' 떠 있었다.

하지만 숙이가 방학을 간절히 기다리는 이유는 따로 있었다.

맨 뒷줄 공장장 사택에 서울 사는 공장장 집 막내딸 연주가 방학 때마다 엄마랑 내려오기 때문이었다.

서울 아이 연주는 뽀얀 얼굴에 사투리가 없는 세련된 서울말씨를 구사하는 데다가 공장장 사택에 놀러 가면 벽장 안에는 과자가 가득 차 있었다.

그래서 동네 아이들 누구나 연주랑 친해지기를 간절히 바랬다.

초등 1학년 때, 행운아 숙이는 연주와 동갑내기인 데다 엄마들끼리 만나는 모임에 몇 번 따라갔다가는 금세 서로 친해질 수 있었다.

그 이후 공장장의 막내딸 연주는 방학 때 동해에 내려오면 잴 먼저 숙이네 집으로 달려왔다.

방학 내내 숙이 일기장에는 연주와 놀이한 내용이 빼곡히 기록되었다.

옥대 놀이, 꽃놀이, 스케이트 타기, 귀신 놀이 등등 재미난 놀이를 하면서 보내곤 했다.

동네 친구들은 숙이를 부러워하며 연주랑 한번 놀아보는 것을 소원했다.

숙이는 그 덕에 어깨가 절로 으쓱해졌다.

그런데 올해는 이상했다.

방학을 한 지 한참 되었는데 연주는 숙이를 찾아오지 않고 있었다.

“엄마, 연주네 방학 안 했데?”

“글쎄, 궁금하면 니가 걔네 집에 한 번 가봐라.”

참다못해 엄마에게 물어보아도 그 이유를 알 수 없었다.

그러던 어느 날 숙이는 맨 뒷줄 공장장 사택 주변을 어슬렁어슬렁 거렸다.

공장장 사택은 가시나무 담장이 높이 둘러져 있어서 안쪽 마당이 보이지 않아 사람이 있는지 없는지 알 수가 없었다.

가슴 졸이며 숨어서 연주의 행적을 찾고 있을 때 어디선가 연주의 목소리가 들렸다.

그 소리에 숙이는 입술이 양 볼 끝에 걸리도록 히죽 웃음이 나왔다.

‘그럼 그렇지, 왔구나!’

하지만 그 목소리는 공장장 사택에서 들리는 것이 아니라 그 옆쪽 측백나무 담장이 높이 솟아 있는 손님용 관사에서 들렸다.

숙이는 살금살금 측백나무 담장 쪽으로 옮겨가서 귀를 기울였다.

그곳에서는 3명 이상의 여자아이들 목소리가 들려 왔는데 모두 서울말씨를 쓰고 있었다.

숙이는 웬일인지 가슴이 쿵쾅거리는 소리를 들었고 얼굴이 화끈거려서 그 자리에서 도망쳐 버렸다.

그다음 날, 인사 한마디도 못 하고 도망쳐 버린 자신이 너무 바보 같아서 숙이는 연주를 다시 찾아가기로 맘먹었다.

키 큰 측백나무 담장을 쫑긋이 귀를 세우고는 한 바퀴 돌고 있노라니 안에서 여자 아이들의 웃음소리와 이야기 소리가 들려 왔다.

숙이는 마음을 가다듬고 담장 입구로 가 관사 마당 쪽으로 모습을 나타내었다.

마당에는 연주와 2명의 여자 아이들이 모래밭에서 빨강 노랑의 장난감 그릇으로 소꿉놀이를 하고 있었다.

"안녕."

멋쩍게 숙이는 손을 들어 인사했다.

연주는 두 눈이 동그래져 숙이를 쳐다보았다.

"연주야, 방학해서 왔구나?"

"응"

연주는 짧게 답했다.

"누...누구야? 친구들이야?"

숙이는 말더듬이가 되었다.

"응, 여기 와서 사귀었어. 얘네도 방학 때마다 올 거래."

연주는 여자 아이들과 서로 쳐다보며 웃으며 말했다.
"어...어디서 왔는데?
숙이의 얼굴은 빨갛게 열이 올라 있었다.
"서울"
"아... 그렇구나..."
"......"
침묵이 흘렀다.
연주와 서울 여자애들은 멀뚱히 숙이를 쳐다보고 있었다.
숙이는 있는 용기 없는 용기를 모아서 말했다.
"가...같이 놀자!"
"난 얘네들하고 놀건대."
숙이의 가슴이 "쿵!"하고 큰 바윗덩이가 떨어진 듯 울렁거렸다.
그 상황에서 숙이는 또 도망쳐 나왔다.

그때부터 숙이의 방학일기에서 연주의 이름은 사라졌다.
대신 가끔 이런 내용이 쓰여 있었다.

-나도 서울서 살고 싶다-

월요일과 수요일에는 회사에서 무료로 시장셔틀버스를 송

정까지 운행했다.

이날 엄마를 따라가 짐 들어 드리기 등 착한 일을 하면 맛난 것을 얻어먹는 보상을 받곤 했다.

맛난 찐빵을 먹기 위해 오늘도 필사적으로 엄마를 따라나설 것을 자청했는데 숙제 핑계를 대시며 떼어 놓기 일쑤였던 여느 날과는 달리 오늘은 순순히 숙이를 달고 엄마는 시장 버스에 올랐다.

그것뿐이 아니라 장을 보는 내내 엄마의 얼굴이 오늘따라 많이 달라 보였는데 뭔가 환하고 얼굴에 웃음기가 가득했다.

엄마는 오늘 양복점에서 아빠의 와이셔츠를 사셨다.

"이거 봐라 숙아, 아빠 와이셔츠 이쁘지?"

아무래도 엄마는 오늘 이상했다.

평소에 쓰지 않던 말투와 과하게 좋아 보이는 얼굴이.

"엄마, 오늘 무슨 날이야?"

"……"

대답 없는 엄마는 콧노래까지 부르며 세상에나 오늘 생닭을 두 마리나 사셨다.

그 덕에 저녁으로 푸짐한 닭백숙을 먹을 수 있었다.

닭백숙은 일 년에 한 번 먹을까 말까 한 특식이었기 때문에 숙이네 가족들은 그 날이 매우 특별한 날임을 알아차렸다.

"누구 생일이야?"

"엄마 아빠 결혼기념일이야?"

"누가 상 탔어?"

"아빠 봉급 올랐구나?"

퀴즈의 질문은 계속되었고 그 답변을 한 사람은 아빠였다.

"오늘 아빠가 작업 반장직에서 사무직으로 승진했다."

그날 이후 아빠는 돋보기안경을 맞추셨고 자동으로 셈하는 계산기를 사셨다.

아침마다 자전거로 출근하시는 아빠를 숙이네 네 명의 아이들은 마루에 줄줄이 서서 인사를 드렸다.

"다녀오세요!"

그런데 매일 파란색 작업복과 파란색 캡 모자를 쓰시던 아빠는 이젠 하이얀 와이셔츠와 검은색 양복을 입으셨다.

숙이가 어렸을 때 엄마를 따라 오후마다 아빠의 도시락 배달을 갔었다.

호숫가 옆 교회 언덕을 따라 올라가면 아빠 회사가 내다보이는 철조망이 나왔다.

철조망 너머에는 씨꺼먼 공장들이 서 있었고 땅도 온통 씨꺼먼 색이었다.

그리고 조금 기다리다 보면 저기 저쯤에서 씨거먼 그림자 같은 사람이 걸어 왔다.
철조망 근처에 다다른 씨꺼먼 그림자 사람은 얼굴에서 검은색 마스크를 벗었다. 그러자 하얀 얼굴이 마스크 모양 그대로 드러났지만 역시나 눈도 꺼멓고 모자도 꺼멓고 몸도 꺼맸다.
엄마가 도시락을 건네며 말을 걸자, 그제야 그 검은 사람이 아빠라는 것을 알았다.
숙이 아빠는 씨꺼먼 가루들이 가득한 공장에서 일하는 사람이었다.

하지만 아빠는 이제 하이얀 와이셔츠를 입고 돈을 계산하는 일을 하시는 분이 되었다.
더이상 씨꺼먼 먼지를 온몸에 뒤집어쓴 그림자 사람이 아니어서 숙이도 기뻤다.

일본어가 유창한 숙이 아빠는 저녁에는 회사 간부 아저씨들에게 일본어 회화를 가르치기도 한다고 했다.
일제시대 때 학교를 다니신 아빠는 그때는 학교에서 한글을 쓸 수 없었던 시대였다고 숙이에게 말해 주셨다.
저녁때에는 서류가방에 숫자가 잔뜩 쓰여 있는 서류들을 들고 오셔서 계산기를 밤새 두드리기도 하셨다.

그런데 몇 달 후 출근하시는 아빠는 다시 파란색 작업복과 파란색 캡모자 차림으로 자전거를 타셨다.

숙이는 의아했다.

밤 시간 아이들을 재우고는 마루에서 숙이네 엄마, 아빠는 두런두런 얘기를 나누고 있었다.

아빠는 폐가 좋지 않아 끊으신 담배를 그날 밤 다시 피우고 계셨고 엄마는 아빠의 술잔을 연거푸 채워주고 계셨다.

두 분이 나눈 대화를 잠결에 모두 듣지는 못했지만, 어렴풋이 숙이는 아빠의 말을 들은 듯했다.

-송충이가 솔잎을 먹어야지-

제4화 스잔나공주님

"공주마마 납시오~"

옆집 정례가 평상에서 인형 놀이를 하고 있었다.
숙이는 인형 놀이가 싫었다.
인형이 없어 항상 곰 인형을 가지고 정례의 하인 노릇을 했기 때문이었다.
정례의 인형은 최신 미미인형이었다.
이름도 미미공주님이었다.
미미공주님은 동네에서 인기가 최고였다.
인형이 있는 여자 친구들이 모두 정례네 미미공주님과 놀기를 바랬다.
미미공주님은 긴 금발 머리에 파란 눈을 가지고 뽀얗고 하얀 살갗과 날씬한 몸매에 최고의 영국 공주님이었다.

숙이는 가끔 곰 인형 대신 옥수수로 만든 인형을 가지고 놀았는데, 맡는 역할이라고는 하녀 아니면 거지였다.
이 옥수수인형은 작은언니가 만들어 줬는데 다 먹은 옥수수의 꼬다리 잎을 하나하나 쪼개서 긴 머리카락을 만든 후 말리는 것이었다. 이 옥수수가 다 마르면 눈과 코, 붉은 입술을 그려 넣어 인형으로 만든 것이었다.

"공주마마, 용서하여 주시옵소서~"
숙이는 옥수수 인형이 싫었다.

겨울에 오빠와 작은언니에게 스케이트를 사 주었기에 숙이는 요즘 정당한 듯이 엄마를 설득하고 있었다.
"엄마, 이제 인형 사주셔야 돼요. 이제 내 차례잖아"
엄마는 언제나 대답이 없으셨다.
숙이는 방법을 바꾸어 시장 가시는 엄마 뒤로 땅바닥에 누워 땡깡을 놓았다.
"사줘! 사줘! 인형 사줘! 나도 인형 사줘!"
안 통했다.
뒤도 돌아보지 않고 가 버리셨다.
'올해도 글렀는가 보다'
숙이는 포기 해버렸다.
그런데 이게 웬일! 안하던 짓인 '땅바닥 땡깡쑈'가 효과를 발휘했다.
엄마가 드디어 인형을 사 오셨다.
“미미인형은 아니다. 그건 넘 비싸서 제일 싼 걸로 사 왔다.”
엄마는 상자가 아니라 투명 비닐 봉다리에 쌓인 인형을 건네주셨다.
짝뚱 미미인형은 싫었으나 그래도 이게 어딘가?

투명 비닐 봉다리 속에 밝은 금발머리의 예쁜 소녀가 숙이를 보고 웃고 있었다.
비닐을 풀어서 본 인형은 너무너무 예뻤다.
미미공주님보다도 훨씬, 백배, 아니 천배는 이뻤다.
미미인형보다 살갗은 약간 붉은 빛이고 키가 더 크고 완벽하게 날씬하여 팔과 다리가 꿈에 그리던 나의 공주님이었다.
“엄마 너무 이뻐요. 딱 내 꺼야!”
짝뚱 미미인형이지만 숙이는 한눈에 반해버렸다.
‘무슨 공주님으로 할까? 프랑스 공주님? 이태리 공주님?’
숙이는 밥을 먹지 않아도 될 만큼 좋았다.
‘이름은 뭐로 할까? 안나? 스잔나?......스잔나!’
이름도 예쁘게 지었다.
프랑스 공주님의 이름이 스잔나쯤은 돼야지 않을까.

다음날 평상에서 숙이의 인형이 사교계에 데뷔식을 가졌다.

“프랑스에서 오신 스잔나공주님을 소개합니다!”

곰 인형 하인이 숙이의 인형을 소개했다.

“와아~ 스잔나공주님 너무 이쁘다! 어디서 샀어? 이렇게 이쁜 인형은 한 번도 본 적이 없는데 프랑스에서 만든 거래?”

“응!”

숙이는 거침없이 말했다.

스잔나공주님의 데뷔식은 성공적이었고 단번에 온 동네에 소문이 쫙 퍼져서 그녀를 보려고 모여 들었다.

숙이는 매일 인형 놀이를 했는데 스잔나공주님은 항상 인기가 최고였고 모두들 스잔나공주와 놀기를 바랬다.

게다가 큰언니와 작은언니가 공주님의 옷을 여러 벌 만들어 주어 동네에서 최고로 멋쟁이 패션니스타가 되었다.

발레복을 입고 발레리나도 되었다가, 가수도 되었다가, 영화배우가 되었다가, 요리사도 되었다.

특히나 여자아이들은 길쭉한 다리, 날씬한 몸매와 팔에 감탄했다.

완전히 기가 살아버린 숙이는 다리와 팔을 현란하게 흔들며 연일 춤을 추었다.

어느 날,

"두둑"

뭔가 이상했다.

평소처럼 다리를 쫙 벌렸다, 폈다 춤을 추었는데 심상치 않은 소리와 함께 다리 한쪽이 늘어졌다.

급하게 인형을 챙겨서 집에 돌아와 다리 부분을 점검해 보니 다리와 몸통 사이의 이음새가 갈라져 다리가 떨어지기 일보 직전이었다.

인형을 구입한지 한 달도 안 된 사이에 벌어진 일이었다.

숙이는 울며불며 엄마에게 인형을 내어놓았다.

"싸구려라서 그런가 보다"

엄마는 서랍에서 반창고를 꺼내더니 스잔나공주님의 다리와 몸통을 둘러 붙여주셨다.

그 이후 스잔나공주님은 한쪽 다리를 쓰지 못했다.

물론 매일 하던 발레와 춤은 이제 추지 못하게 되었다.

함께 놀이를 하는 여자애들이 춤추라고 난리들이었지만 숙이는 내숭을 떨며 이를 철저히 숨겼다.

짝뚱 미미인형인 스잔나공주님은 프랑스 공주의 위엄을 지키시느라 춤을 추지 않기로 한 것이었다.

그러나 얼마 못 가서 인형의 한쪽 팔도 같은 신세가 되었다.

엄마는 또 반창고를 붙여 주셨다.
점점 프랑스의 스잔나공주님은 얌전해져 갔다.
하지만 반창고는 오래가지 못했고 이내 떨어져 버리곤 했다.
"엄마! 스잔나 좀 고쳐줘"
"싼 인형이라서 금방 떨어지니 어쩔 수 없지 뭐. 갖고 놀 만큼 놀았으니 버려라"
엄마는 청천벽력 같은 소리를 하였다.
"싫어!"
"왜? 이제 인형도 한번 가져 봤으니까 됐지 뭘! 엄마가 내년에는 더 좋고 이쁜 진짜 미미인형 사줄게"
"싫어!"
이유를 모르겠다. 숙이는 싫었다.
"왜? 미미인형 사달라고 몇 년을 졸랐으면서?"
그러나 미미인형은 하나 같이 같은 얼굴이었다.
나의 스잔나는 어디에도 없는 인형이었다. 짝뚱으로 만들어진 싸구려 인형이어서 똑같은 것을 아직 숙이는 본 적이 없었다.
그리고 숙이는 스잔나가 좋았다.

"친구를 어떻게 버려~"

엄마는 말없이 숙이를 바라보았다.
"알았다"
뭘 알았다는 것인지 알 수 없는 말씀을 하셨다.

그날 저녁 아빠가 퇴근하시고 엄마는 아빠께 무어라 말씀하셨다.
아빠는 자전거를 때우실 때 쓰시던 본드를 꺼내 오셨다.
그리고는 스잔나 공주님의 다리와 팔에 바르시고 호호 입김을 불어 주셨다.
이윽고 팔과 다리를 몸통에 붙이시고 한참을 붙잡고 계시다가 말씀하셨다.
"자~ 이제 다 나았다"
스잔나는 아빠의 치료 덕에 예전의 이쁜 모습으로 돌아왔다.
하지만 약간의 장애가 있었다.
팔과 다리는 딱딱하게 굳어서 몸통에 붙어 움직일 수 없었다.
옷을 한번 입히려면 조심조심 입혀야만 했다.

그래도 숙이는 스잔나가 좋았다.

제 5 화 별

한 달에 한 번 숙이네 아빠는 회사에서 돼지고기를 받아 오셨다.

이날은 돼지고기와 김치를 프라이팬 가득히 볶은 요리가 저녁밥상에 올랐다.

고기 먹는 날이 흔한 것이 아니므로 숙이네 가족은 한 달에 한번, 이날을 모두 기다렸다.

다른 반찬 없이 커다란 프라이팬의 김치 돼지고기 볶음만이 반찬으로 밥상 위에 오르고 숙이네 아이들은 군침을 삼키지만, 아빠가 수저를 들기 전에는 절대 먼저 밥을 먹는 법이 없었다.

혹여 너무 배가 고픈 나머지 먼저 수저를 들었다가는 낮고 건조한 톤의 엄마 목소리를 곧 듣게 되기 때문이었다.
"어허, 아빠가 먼저 수저 드시거든 먹어라!"

여섯 식구의 저녁 밥상은 항상 시끌시끌하였다.
"누가 비계를 발라서 밥상 위에 놓나?! 비계도 먹어라"
오빠는 야단맞는 것보다 비계 먹기를 싫어했다.
야단을 맞는 동안 거의 밥그릇에 머리를 쳐 박을 듯 고개를 숙이고 닭똥 같은 눈물을 흘렸다. 그렇게 철철 울다가는 밥을 3공기씩 먹어 치웠다.
"엄마, 우리도 그냥 쌀밥 먹으면 안 돼? 보리밥은 입안이 간질거린단 말야!"
식사 전부터 입이 댓 발은 나와 있던 작은언니가 또 보리밥이 싫다고 투정했다.
"별놈의 소리를 다 들어 본다. 잡말 말고 그냥 먹어라"
보통은 엄마에게 야단을 맞고는 잔뜩 상을 찡그린 채 밥을 먹다가는 나중에는 부탁하듯 말했다.
"그럼 도시락만이라도 쌀밥으로 싸줘! 애들은 다 쌀밥 싸온단 말야"
"……"
엄마는 무대답으로 대답을 대신 하셨다.
"어? 와아아아"
숙이는 주로 식사시간에 TV에 들어갈 듯 빠져 있기 때문에 알 수 없는 감탄사를 연발해대었다.
"잰 먼대?"
TV에 급관심을 보이던 큰언니가 밥 먹다 말고 내용이 궁금한지 물어봤다.
"응, 재 신선 지망생"
TV인형극장의 주인공에 관한 한 식구들 중에서 숙이만큼 잘 아는 사람은 없었다.
"꺄르르"
큰언니는 요 근래 한 번 웃기 시작하면 웃음을 잘 멈추질 못했다. 숙이는 그런 큰언니가 요상했다.
'웃긴가?'

그리고 요즘 들어 큰언니는 식사시간이 끝나면 바람과 같이 밖으로 사라져 버렸다.
하지만 그 이유를 숙이는 잘 알고 있었다.
놓칠세라 쫓아 나가 보지만 어디로 갔는지 금세 없어져 버렸다.
저녁 식사 후 숙이처럼 뒤쫓아 나온 사람이 또 있었는데 옆집 사는 정례였다.
"어디 갔어?"
서로 놓쳐 놓고는 아쉬워서 두리번거리며 물어보기 일쑤였다.

"쌩쥐들처럼 도망갔어, 운동장 쪽으로 가보자"

작년 겨울부터 옆집 정례네에는 큰언니와 동갑내기 언니가 한 명 와 있었다. 정례네 사촌 언니로 몸이 약하고 안 좋아서 요양차 시골에 내려와 있는 거라고 했는데 큰언니와 쿵짝이 잘 맞아 요즘 거의 매일 어울려 다녔다.

둘은 뭐가 재미있는지 둘만 있으면 웃음소리가 끝이지 않았다.

숙이와 정례는 언니들끼리만 재미있는 놀이를 하는 것 같아 애가 타서 쫒아다니지만 그럴 수록에 둘은 더 도망 다녔다.

큰언니는 학교에 다녀오기만 하면 정례네로 향했다.

"명화야, 명화야 오늘 '별밤' 라디오 꼭 들어야 해. 내가 편지랑 신청곡 보냈거든"

나름 문학소녀인 큰언니는 곧잘 라디오에 사연과 신청곡을 보내곤 했었는데 요즘은 학교 친구들이 아니라 거의 명화언니와 듣고 싶다고 보냈다.

- 송정 삼척산업 사택에서 '명화와 듣고 싶어요'라는 사연과 함께 나미의 '영원한 친구' 신청해 주셨습니다.

단발머리 나풀거리던 나의 소녀 시절아 안녕.
아지랑이처럼 사라져간 따뜻한 봄들아 안녕.
용광로처럼 불타던 정열의 여름들아 안녕.
한 편의 시로 고이 접어 책 속에 넣어 버린 가을들아 안녕.
하얀 눈 위에 적어 놓았던 사라진 이름의 겨울들아 안녕.
나는 가만히 속삭였습니다.
이제 나의 소녀 시절은 끝났어. 이젠 안녕. -

라디오에서 감미로운 남자' '별밤지기'의 목소리로 문학소녀 큰언니의 사연이 읽혀지고 한밤중 옆집 정례와 명화언니는 숙이네 작은방에 작당 모의하듯이 라디오 주변에 모여 있었다.
"너는 어떻게 이렇게 글은 잘 쓰냐? 나중에 작가나 시인이 되도 되겠어"
"정말? 명화 니가 맘에 든다니 다행이네"
둘은 늦은 밤 라디오를 함께 들으며 날이 새는 줄 모르고 흥분해 있었다.
그다음 날은 명화언니가 신청곡과 사연을 보냈다.

- 송정 삼척산업 사택에서 송명화님이 단짝친구와 함께 조용필의 '고추잠자리' 듣고 싶다고 보내셨습니다.

내가 그의 이름을 불러주기 전에는 그는 다만 하나의 몸짓에 지나지 않았다.

내가 그의 이름을 불러주었을 때 그는 나에게로 와서 꽃이 되었다.

내가 그의 이름을 불러준 것처럼 나의 이 빛깔과 향기에 알맞은 누가 나의 이름을 불러다오.

그에게로 가서 나도 그의 꽃이 되고 싶다.

우리들은 모두 무엇이 되고 싶다.

나는 너에게 너는 나에게 잊혀지지 않는 하나의 눈짓이 되고 싶다.   김춘수 (꽃) -

옆에서 지켜보면 둘은 필시 연애하는 연인처럼 각별해 보였다.

일요일 아침 일찍 아침 식사를 하자마자 둘은 '반짝이는 호수'에 가 있었다. 뒤를 밟아 나무 뒤에 숨어 숙이와 정례가 지켜보고 있노라면 둘은 호숫가에서 어슬렁거리며 산책을 하며 노래도 부르고 뭔지 모를 재미난 얘기들로 웃음꽃을 피웠다.

숙이네 집과 정례네 집 사이에 놓인 나무 평상에 둘은 엎드려 독서를 하면서도 연신 무슨 얘기인지 수다를 떨어 대었다.

둘만 있으면 대화가 술술 통했다. 연예인 이야기나 문학 이야기, 학교 이야기, 남자친구 이야기, 재미나게 본 영화나 책 이야기들은 줄줄이 사탕 엮듯이 끊이지 않고 흘러나왔다.

그러던 어느 날 갑작스레 명화언니는 집으로 돌아가 버렸다.

큰언니에게도 말하지 않은 채 돌아가 버렸다.

숙이는 근래 두 언니들이 만들어 내었던 활기차고 풍선에 띄워진 것 같았던 명랑한 분위기가 바람이 빠져 가듯이 늘어지고 있다 느꼈다.

큰언니는 한동안 요상할 정도로 깔깔거리던 모습이 사라지고 얼굴에는 웃음기가 사라져 버렸다.

옆집 정례에게 물어봐도 정례도 잘 모르겠다고 했다.

그리고 명화언니의 소식을 들은 것은 그로부터 한 달 후 엄마를 통해서였다.

"옆집 명화가 사실은 집으로 돌아간 게 아니라, 병원 응급실에 실려 갔다가 그만 그 길로 저세상으로 갔다고 하드라. 어린 아가 죽었으니 화장해서 장례식 없이 바다에 뿌렸는가 보더라. 가가 백혈병이라고 하드라"

숙이는 재빨리 큰언니를 쳐다보았다. 큰언니는 조용히 눈을 내리깔고 듣고 있다가 다음 순간 심하게 얼굴을 일그러뜨리고 나가 버렸다.
엄마는 내심 걱정하는 얼굴이었지만 나가 버리는 큰언니의 뒤를 보고만 있으셨다.
그 뒤로 큰언니는 별로 말이 없어졌지만, 학교 다니고 친구들과 어울리며 이전의 상태로 점점 돌아가고 있었다.

정례네와 숙이네 집 사이의 평상은 여름 더운 날은 식구들의 잠자리가 곧잘 되곤 했었다.
모기향 불이 여러 군데 피워지고 외등이 우두커니 서 있는 평상 밑에서 엄마는 아침에 먹을 콩나물을 다듬고 계셨다.
오빠와 작은 언니는 저마다 하던 걸 놓고는 잠들어 버렸고 큰언니는 엎드려 책을 읽고 있었다.
젤 먼저 곯아떨어지던 숙이는 웬일인지 잠이 오지 않았다.
"엄마"
"왜? 안자?"
"엄마, 사람은 죽으면 어디로 가?"
뚱딴지같은 질문에 엄마는 콩나물을 다듬으며 말씀을 잃으셨다.
큰언니도 책의 페이지가 넘어가고 있지 않았다.
그때 엄마는 말해 주셨다.

"어디로 가긴 저 하늘에 별이 되지"
"하늘에? 별? 응?"
숙이도 큰언니도 일제히 고개를 쳐들고 하늘에 별을 쳐다보았다.
"그럼"
엄마는 당연하다는 듯 강하게 긍정하셨다.

밤하늘 은하수가 흘러 흘러 먼 어둠의 하늘가를 지나고 있었다.
저기 어디쯤 명화언니가 있을까?

제6화 키가 더 크면

숙이네 동네 아이들은 모두 뒷산 언덕 너머에 있는 초등학교에 다녔다.

비가 내리는 날에는 거의 진창에 가까워 신발은 진흙이 더덕더덕 붙어서 언덕을 거의 다 올라갈 때쯤에는 거인 신발이 되어 있었다.

아이들은 저마다 나뭇가지를 주어 발 크기에 몇 배나 달라붙어 있는 붉은색 진흙을 떼어 냈다.

여기저기 산등성이에 진달래꽃이 피는 봄이 오면 살모사 뱀이 덜 깬 잠을 깨느라 떡하니 언덕길 한가운데 잔뜩 기지개를 켜고 있다.

그렇게 어영부영하다가는 남자아이들의 장난감이 되기 십상이었다.

이 학교길 옆쪽으로는 누에를 먹일 풍부한 뽕잎을 가진 뽕나무들이 줄지어 서 있었는데 여름이 올 쯤 여기서 열리는 열매 오디는 숙이네 동네 아이들의 여름 간식거리였다.

오디를 따먹느라 아이들의 주둥이며 손은 보랏빛 오디 물이 들어 있었다.

아이들의 간식은 산언덕 여기저기에 있었다. 깜바구며 산딸기, 아카시아꽃과 진달래꽃은 계절 간식으로 손색이 없는데다가 따먹는 재미가 솔찬히 있었다.

이런 풍부함을 가진 학교길에서 숙이가 가장 좋아하는 순간은 언덕에 다 올라섰을 때 넓게 펼쳐진 바다를 보는 것이었다.

바다가 보이는 버스길을 따라 걸어가면 무지하게 큰 운동장을 가진 삼층짜리 큰 건물이 숙이네 학교였다.

숙이네 학교에는 동네에는 없는 놀이기구들이 많아서 하교 후에 친구들과 어울려 놀이터에서 노는 것이 학교 가는 최고의 재미였다.

그러나, 노는데 일가견이 있는 숙이가 꺼리는 놀이기구가 있었으니 그건 바로 철봉이었다.

숙이는 철봉을 하는 친구들이 부러웠다.

뱅그르르 돌고 올라가고 어떤 친구들은 뒤돌아서 거꾸로 오르기 등을 할 수 있었지만 숙이는 철봉을 잡고만 있었지 감히 무서워서 그 친구들이 하는 재주를 따라 하지 못했다.

그건, 동네에서도 마찬가지였는데 학교에서만큼은 아니지만 두 개의 철봉이 있었다.

학교 철봉은 모두 4단으로 이루어져 있는데 숙이의 배까지 오는 높이에서부터 키 높이, 키를 조금 넘는 높이와 숙이 키를 훨씬 넘는 높이까지 다양했다.

그렇더라도, 숙이에게는 그림의 떡이었다.

다른 친구들처럼 무척 잘하고 싶은 마음은 굴뚝같았지만 일단 겁부터 나서 용기를 내기가 쉽지 않았다.

그러던 어느 날 토요일 오후, 숙이는 웬일인지 집에 가지 않고 있었다.

토요일은 3교시만 하면 끝이었으므로 12시에 아이들이 모두 하교해버리지만, 남자애들은 남아서 오후 늦게까지 축구 시합을 하곤 했었다.

그런데 숙이는 딱히 축구시합 구경을 하는 것도 아니었는데 운동장 가장자리 심어진 미루나무 옆에 가방을 깔고 숨듯이 앉아서는 무엇인가 기다리는 것처럼 보였다.

오후 3시쯤 되니까 남자애들도 시합이 끝났는데 시끄럽게 떠들면서 집으로 가 버렸다.

오후 3시의 학교 운동장에는 쨍쨍 내리쬐는 봄 햇살과 숙이만이 남아 있었다.

숙이는 앙다문 입술로 자리에서 일어나 가방을 집어 들고는 엉덩이를 털었다.

그러더니 큰 운동장을 가로질러 걸어가기 시작했다.

걸어가는 동안 숙이는 긴 심호흡을 여러 번 하였다.

그런 숙이가 멈춰선 곳은 바로, 인생에서 겁의 끝판왕인 철봉 앞이었다.

숙이는 두리번두리번 주변을 살폈다.

혹시 철봉에서 떨어지더라도 창피해하지 않도록 단단히 눈도장을 찍으며 결심이 선 듯 가방을 놓고는 철봉을 잡았다.

가슴이 두근대는 소리가 온 운동장에 울렸다.

'쿵 쿵 쿵 쿵'

철봉을 잡고 배를 철봉에 가져다 대었다.

몸을 살짝 철봉 쪽으로 기대었을 때 눈앞이 캄캄할 정도로 겁이 났다.

"에라!"

두 눈을 질끈 감고 숙이는 죽기 아니면 까무러칠 기세였다. 몸무게에 밀려 고개는 땅을 향해 곤두박질치고 몸은 자동으로 자빠져 한 바퀴 빙그르르 돌아 긴 머리가 땅을 쓸어 내며 다시 제자리로 돌아와 있었다.

"와! 와! 와!"

숙이는 눈물이 찔끔 날 정도로 무서웠지만 결국 해냈다는 벅참과 무서운 괴물을 퇴치한 듯한 쾌감을 느끼며 연거푸 괴성을 질렀다.

'되네!'

숙이는 우연히 한번 한 것이 아니라는 것을 증명이나 하듯이 여러 번 반복하여 철봉을 돌았다.

"와! 와! 돼!"

숙이는 도전한 김에 다음 단계인 자신의 키 높이와 비슷한 철봉에도 거꾸로 매달렸다. 그러다가 뒤로 돌아내려 왔다.

"와! 이거도 된다!"

얼굴이 씨벌게 질 정도로 연습하며 숙이는 그 큰 텅 빈 운동장을 혼자 독차지한 채 환희의 도가니탕에 빠져 있었다.

드넓디 넓은 운동장에 숙이의 탄성 소리만 쩌렁쩌렁 거렸다.

이제, 4단계 맨 마지막 철봉이 관문처럼 남아 있었다.

이번에는 점프하여 철봉에 매달렸다. 워낙 높아, 생각 끝에 다리 하나를 걸어 철봉에 거꾸로 매달렸다가 몸을 앞뒤로 반동을 주어 상체를 올려 철봉 위로 올라갔다.

철봉의 꼭대기로 올라간 숙이는 무서웠지만, 너무나 상쾌한 바람을 만날 수 있었다.

그리고 바다는 오후의 햇살을 받아서 반짝반짝 보석처럼 빛나고 있었다.

"아~ 이쁘다. 이뻐! 반짝이는 호수보다"

가늘게 눈을 뜨고 반짝거리는 바다를 한참 바라보다가 숙이는 만족한 마음으로 집으로 돌아갈 수 있었다.

이젠 철봉이 하나도 무섭지 않았다.

다른 친구들처럼 철봉은 숙이에게도 재미난 놀이 기구가 된 것이었다.

그날 이후 숙이는 철봉이라면 반 친구 누구보다도 자신 있었다.

심지어는 체육 시간 철봉대에서 선생님이 시연할 때 친구들이 모두 숙이를 추천하여 친구들 앞에서 시연을 보이기도 했었다.

그리고 그해 교내 체육대회에서 철봉 1위를 따내었다.

철봉을 정복한 숙이는 이제 겁이 없어졌다.

무엇이든 할 수 있을 것 같은 천하무적이 되어 버렸다.

어느 날 하굣길에서 교문 게시판에 붙어 있는 공지가 숙이의 눈길을 끌었는데 그것은 새로운 교내 양궁선수를 선발하는 내용이었다.

자격조건은 '교내 학생이면 누구나'라고 쓰여 있었다.

숙이는 흥분되었다.

'얼마나 멋질까?'

같이 하교하던 동네 친구이자 같은 반 친구인 명은이를 꼬드기기로 했다.

"명은아! 우리 양궁선수 도전할래?"

"에이~ 우리를 뽑아 주겠어?"

숙이의 제안에 명은은 의심 어린 눈빛이었다.

하지만 철봉의 높디높은 정상을 정복한 숙이는 무서울 게 없었다.

"여기 봐! 이번 주 토요일 날 체력 테스트 및 선발을 한데"

결국 숙이와 명은은 그 주 토요일 양궁선수 선발 체력 테스트에 참가했다.

30여 명의 남녀 아이들이 테스트를 받기 위해 와 있었다.

학년 계주 선수이기도 하여 달리기는 숙이가 제일 자신

있어 하는 종목이고 그날따라 숙이의 악착같은 마음 때문이었는지 윗몸일으키기도 그 30명 중에 최고였다.

숙이는 마음이 들떠 있었다.

'드디어 양궁선수가 될 수 있어!'

키만큼 큰 멋진 활시위를 당기는 모습은 상상만 해도 멋졌다.

하지만 테스트는 그게 다가 아니었다.

일렬로 줄 세워 선 30명은 왼쪽 팔을 들고 활을 잡는 듯한 동작을 하는 테스트가 있었는데 숙이는 무엇인진 모르겠지만 약간의 위축됨을 느꼈다.

양궁선생님은 일일이 한명 한명씩의 팔 자세를 살폈다.

드디어, 숙이 차례가 왔다.

숙이는 의기양양하게 고개를 쳐들었다.

당연히 합격일 것이라고 믿어 의심치 않았다.

그런데 선생님은 숙이 팔목을 손으로 감싸서 치수를 재셨다. 그리고는 안타까운 탄성을 내셨다.

"아이고, 팔이 이래 가늘어서야..."

그 말에 이맛살을 찌푸리며 숙이는 더욱 가슴을 펴고 팔에 힘을 주었다.

이번에는 선생님이 한 발짝 물러서서 다른 아이들과 키를 비교하시며 말씀하셨다.

"니는 좀 더 키가 크면 오너라"

'쿵~!'

숙이 가슴이 무너져 내리는 말이었다.

'안 돼요 선생님, 전 지금 양궁선수가 될래요. 달리기랑 윗몸일으키기는 제가 1등이잖아욧!'

벙어리처럼 속으로 소리를 고래고래 질러대며 숙이는 선생님 어떻게든 맘을 돌려주었으면 바랬다.

하지만 테스트는 끝났고 숙이는 낙방했다.

그런데!!! 이럴 수가!

숙이가 꼬드겨서 함께 테스트를 받은 명은은 당당히 합격점수를 받아서 당장 다음 주부터 훈련에 합류한덴다.

숙이는 실망도 실망이지만 명은에게 예전에 느껴 보지 못한 심한 질투가 이글이글 타올랐다.

그 이후 명은과는 놀지도 않았다.

그러나, 숙이는 매일 양궁부 훈련을 몰래 숨어서 훔쳐보다가 저녁이 다 되어서 집으로 돌아가곤 했다.

부럽고 질투 나고 해보고 싶고 양궁부가 먹는 보름달 빵이랑 우유가 맛나 보이고 무엇보다도 활시위를 당기는 모습은 너무나 멋졌다.

그러던 어느 날,

그날도 숙이는 양궁부가 연습하는 것을 몰래 훔쳐보고 있었다.

그런데 웬일인지 그날 양궁선생님은 화가 나신 것처럼 보였다. 언성을 높여 야단을 치시는가 하면 선수들을 해가 쨍쨍 내리쬐는 운동장 서너 바퀴를 뛰게 하기도 하셨다.

그리고는 운동장에 남녀 선수 모두 엎드려뻗쳐를 시키더니 기다랗고 날렵한 화살로 엉덩이를 열대씩 때리셨다.

몰래 훔쳐보던 숙이 엉덩이도 진짜 열이 날 듯 화끈거리고 손은 땀에 젖었다.

"휘이잉! 휘이잉!"

"철푸덕! 철푸덕!"

화살이 공중의 공기를 가르는 날카로운 소리와 엉덩이와 허벅지 사이의 둔탁한 부분을 가격하는 소리가 무척이나 따갑게 전달됐다.

그 소리에 맞추어 숙이는 움찔움찔 치를 떨었다.

결국, 줄행랑치듯 집으로 쫓겨 왔다.

다음날부터는 숙이는 일찍 일찍 하굣길에 올랐다.

"내가 키가 더 크면, 더 크면... 음..."

제7화 구슬세상

숙이는 한참 오빠의 철제책상을 노려보고 있었다.

저 안에는 신기한 것들이 많았다. 오늘도 도저히 유혹을 이기지 못하고 고양이마냥 다가가 슬그머니 오른쪽 젤 밑 서랍을 열고야 말았다.

그 안에는 차곡히 동그란 딱지들이 줄지어 있고 박스로 접은 사각 딱지들이 수북이 자리를 차지하고 있었다. 그 옆으로는 오빠가 애지중지하는 딱총과 고무총 그리고 나무를 깎아 사인펜으로 멋지게 손잡이를 그려 넣은 보물 1호 목검이 놓여 있었다.

하지만 숙이가 오빠의 책상을 매일 같이 노리는 이유는 이런 잡동사니들 때문이 아니었다.

그건 구슬 때문이었다.

물론, 뒤지다가 들키면 거의 맞아 죽겠지만, 요 구슬들의 유혹을 뿌리칠 수가 없었다.
투명한 유리구슬 안에는 오색 동화의 나라가 있었다.
숙이는 구슬을 눈동자에 대고 햇빛에 비추어 이 동화의 나라에 빠져 있곤 했다.
그런데 최근 들어 구슬 중에 눈에 띄게 이쁜 것들이 생겼는데 오빠는 구슬치기 대장에게서 따낸 것이라고 자랑했었다.
이제까지 보아온 투명구슬이 아니라 좀 더 컸고 눈처럼 하얀색에 파란색 작은 꽃들이 새겨진 구슬들이었다.

"쿵!"

헉, 이건 필시 오빠가 가방을 마루에 던지는 소리?!!!!
화들짝 놀라 재빨리 서랍을 밀어 넣고는 딴청을 부리고 있을 때, 이마에 땀이 송글송글 맺혀 숨을 가쁘게 할딱거리는 오빠가 방으로 들이닥쳤다.
그러더니 서랍을 거칠게 열고는 보물 1호 목검을 집어 들었다.
"오빠, 어디가?"

"쑥골 아들하고 전쟁하러 가!"

전쟁놀이를 즐겨하는 오빠는 이 목검을 만든 후 내내 대장 역할을 했다.

때마침 엄마가 돌아오셔서 제대로 걸려 버린 오빠는 후다닥 밖으로 줄행랑을 놓았다.

"이제 중학교 올라가니까 다 버리라고 했지!"

오빠는 엄마의 엄포를 듣는 둥 마는 둥 사라져 버렸다.

그 뒤에다 대고 숙이는 기회를 놓칠세라 있는 힘껏 소리를 질렀다.

"그럼, 구슬은 나 줘야 돼!"

오빠의 전쟁놀이는 여러 번 따라 다녀 봤다.

총싸움할 때는 일제히 "땅야 땅야" 총소리를 입으로 내면서 하기 때문에 귀를 막고 구경해야만 했다.

하지만 오빠가 더 좋아하는 건 칼싸움이었다.

고 또래들은 이름 대신 별명으로 서로를 불러대고 소리를 질러대며 재미나게 놀았다.

"야! 탱자, 내 칼을 받으랏! 얍! 얍! 얍! 까악! 윽! 분하다!"

"음하하하! 맛이 어떠냐, 쫀드기!"

가끔씩 목검을 맞고는 퍼렇게 등짝에 멍이 들 때도 있었지만, 그 사실을 엄마에게 말하는 걸 본 적이 없었다.

예전에 새총 싸움으로 누군가 콩 대신 돌을 날려 머리에 피가 많이 난 적이 있었다. 그 사건은 돌을 날린 오빠야 엄마가 직접 오셔서 사과한 다음에야 엄마는 화를 푸셨다.
그래서 그 이후로 전쟁놀이를 하려면 엄마 눈치를 봐야 했다.

사실 숙이도 가끔 남자애들과 전쟁을 하기도 하지만 남자들끼리 하는 전쟁과는 많이 달랐다. 숨바꼭질처럼 숨었다가 나타나서 욕을 하는 정도가 다였다.
엄마의 쓸데없는 걱정과는 아랑곳없이 TV에서 나오는 전쟁드라마나 영화만큼은 아니지만 전쟁놀이 구경은 언제나 재미가 좋았다.

맑게 갠 어느 가을 오후도 오빠는 중학교 올라가기 전 맘껏 전쟁놀이를 하고픈 것인지 연일 학교 다녀온 후에는 목검과 함께 동네 뒷산으로 직행했다.
숙이는 때를 놓치지 않고 오빠의 뒤꽁무니를 쫓았다.
"야! 꼬맹아!"
그날따라 바쁜 용무의 숙이를 불러 세우는 사람이 있었다.
까까머리 앞줄에 사는 중학생인 재수땡이 영일오빠였다.
일찍 학교에 다녀왔는지 교복이 아니라 티셔츠에 청바지를 입고 매일같이 타고 다니는 자전거로 숙이네 앞마당을 또

왔다 갔다 하고 있었다.
"왜!"
숙이는 짜증 섞인 목소리였다.
"넌 기집애가 맨날 전쟁놀이를 쫓아다니냐?!"
재수땡이 영일오빠는 숙이네 앞마당에 아치형으로 자란 포도나무에서 주렁주렁 열린 포도알을 하나씩 따 먹으며 훈계하였다.
숙이가 이 '까까머리 중학생 재수땡이'를 싫어하는 이유가 바로 이것이었다.
숙이만 보면 자기 동생처럼 잔소리를 해댄다.
"우리 포도 따 먹지 말아욧! 엄마가 익으면 딴댔어!"
숙이의 말은 듣는 둥 마는 둥 능글거리며 두 눈을 감고 자전거로 왔다 갔다 하며 또 포도알을 땄다.
"야! 이 쪽지 니네 작은누나한테 전해라!"
재수땡이의 목적은 역시나 이거였다. 이것이 숙이가 영일을 싫어하는 두 번째 이유였다.
맨날 작은언니를 후리는 놈이었다.
그러면서도 그가 전하는 사각형 리본으로 접은 쪽지는 매번 작은언니에게 전달됐다.
"너 그러다가 살인마 된다."
"살인마요?"
"그래 살인마. 사람 죽이는 거."

"전쟁하는 건, 사람 죽이는 거 아니에요. 그냥 죽은 척 연기하는 거에요. TV에서도 그런단 말에요."

숙이가 당연한 듯 말하자, 영일은 어이가 없다는 듯이 말했다.

"야, 넌 10살이나 먹은 기집애가 아직 그런 것도 모르냐? 전쟁하면 진짜 사람을 죽이는 거야."

"거짓말!"

"정말이라니까! 니네 작은언니한테 물어봐라."

"죽이면 그 사람들은 어떻게 되는 건데요?"

"죽으면 고만이지 뭐"

심히 충격을 받은 듯한 숙이의 표정에 영일은 나 몰라라 도망치듯 가 버렸다.

숙이는 마음이 무겁고 어두워졌다.

그렇게 재미있는 놀이가 진짜 사람을 죽이는 거였다. 그럼 전쟁이란 것은 사람을 죽이는 일이라는 건가?

구슬 속 세상은 오색으로 빛나고 있었다.

하지만 이제 숙이에게는 오색의 폭풍이 휘몰아치는 무서운 곳이 되었다.

즐겨보던 전쟁영화, 드라마는 제일 싫어하는 TV프로가 되었다.

마루에 앉아 넋 놓고 있을 때 단발머리에 하얀 칼라의 교복을 입은 작은언니가 오고 있었다.

숙이는 쪼르르 언니에게 달려갔다.

"짝은언니, 전쟁을 하면 사람이 죽어?"

동생의 의외의 질문에 언니는 어리둥절한 표정이었지만

"누가 그러더냐?"

궁금한 듯 물었다.

"영일이 오빠가"

생각난 듯 쪽지를 건네며 말했다.

순식간에 숙이의 궁금증은 작은언니의 머릿속에서 지워졌나 보다 재빨리 쪽지를 펴보며 옅은 미소를 떠올리고 있었다.

"짝은언니이?!"

작은언니는 질문에는 관심 없어 보였다.

"어 맞어, 영일이 얘기가"

작은언니가 점점 화사해지는 얼굴로 쪽지를 읽으며 집으로 들어가고 있을 때,

숙이는 점점 어두워진 얼굴로 한달음에 달려 동네 뒷산으로 향했다.

동네 뒷산은 동네 남자애들이 여럿이서 칼싸움으로 왁자지껄 한바탕 소동이 일고 있었다.

숙이는 있는 힘껏 소리를 질러 오빠를 불렀다.
"오빠야! 오빠야!"
한창 열을 올리던 오빠는 숙이 목소리를 들었는지 칼싸움을 멈췄다.
"어, 왜?!"
잠시 멈칫하던 숙이는
"엄마가 오래. 저녁 먹으래!" 라고 거짓말을 했다.
저녁 식사 호출에 동네 남자애들도 하나 둘 집으로 뛰어갔다.
여운이 남았는지 오빠는 칼을 휘휘 휘두르며 집으로 향하고 있었다.
숙이는 오만상이 찌그러져서 말했다.
"오빠, 전쟁은 사람을 진짜로 죽이는 거래."
오빠는 무슨 뚱딴지같은 소리를 하냐는 얼굴로 숙이를 쳐다봤지만 여전히 칼을 휘휘 젔고 있었다.
"그러니까, 전쟁은 나쁜 거야!"

오빠의 중학교 입학과 더불어 그 날 이후 숙이는 오빠의 서랍 속을 열어보지 않았고 전쟁놀이를 구경하러 다니지도 않았고 남자애들과 전쟁도 하지 않았다.

숙이는 전쟁이 지독히도 싫어졌다.

제8화 나의 첫 남자친구

숙이는 친구가 많았다.

동네에서 문을 열고 나가면 길에서도, 운동장에서도, 반짝이는 호수에서도 친구를 만날 수 있었다.
그 친구들은 사람일 수도, 아닐 수도 있었다.
숙이는 호수가의 오리하고도, 물고기하고도 친구했다.
물론 사람 친구들과는 재미난 게임도 하고 선생님 놀이, 인형 놀이, 선녀 놀이 등등 무엇이든 만들어 놀았다.

그러나 남자하고는 동네 동생들 말고는 친구로 같이 놀아 본 적이 없었다.

뭐 학교에 가면 사람 남자 친구들이 많긴 하였지만, 같이 놀이를 해 본 적은 없었다.

주로 또래의 남자 친구들하고는 말다툼을 했다.

엄마의 얘기로는 5살 때 죽고 못 사는 남자친구가 있어서 매일 손 붙잡고 다니고 같이 놀았다는데 전혀 기억이 나지 않았다.

그 친구하고 결혼하겠다고 했다나 뭐래나, 5살짜리가.

어찌 되었든 숙이의 기억에는 없고 동네 마을회관이 주사 맞는 공포의 장소에서 동네 슈퍼로 바뀌면서 제일 좋아하는 장소가 된 것처럼 마음은 변하는 거니까.

그런 숙이에게 일생일대의 상대가 떡! 나타났다.

새 학년이 시작되는 봄.

한 번 정해지면 6년간 같은 반을 하게 되는 규정에 따라 1학년 때부터의 친구들이 다 같이 3학년에 올라왔다.

학년이 시작되자마자 새로운 아이가 숙이네 반에 전학 왔다.

윤 정수!

서울에서 전학 온 정수는 뽀얗고 하얀 얼굴에 귀여운 바가지 머리를 했다.

그런데 남자아이가 눈동자가 얼마나 크고 동그란지, 눈을 바라보고 있자니 풍덩 빠져버릴 것만 같았다.

한마디로 정수란 아이는 큰 언니가 즐겨보는 만화 "캔디 캔디"의 안소니를 닮았다.

그렇게 만화같이 이쁜 남자아이는 본 적이 없었다.

정수는 단박에 여자아이들 사이에서 떠오르는 아이돌이 되었다.

근데 이게 웬일~!

정수가 숙이와 같은 줄 건너편 분단의 빈자리에 배정을 받았다.

비록 짝이 된 것은 아니었지만 숙이는 은근 좋았다.

그 아이는 자리에 앉으면서 숙이를 한 번 흘긋 보았다. 뽀얀 얼굴을 더 가까이에서 보니 숙이는 얼어버리는 것 같았다.

며칠 후, 하굣길에서 숙이는 정수를 보았다.

숙이에게 먼저 아는 척을 한 것은 정수였다.

"너 집이 어디야?"

우악스럽게 들리는 사투리가 아닌 서울 말씨!

'아흑~! 아는 목소리도 이쁘넹'

"나? 나는 저기 사택인데? 너는?"

"나는 관사"

"관사가 어디냐?"

"여기서 쭉 걸어서 송정 가는 쪽으로 가면 돼"

송정 사는 친구들이 걷거나 버스로 다니는 것은 알고 있었지만 그 길을 따라 가 본 적은 없었다.

"넌 이름이 뭐야?"

"나, 숙이야. 김숙"

숙이와 정수는 한참 이야기를 나누며 걸어갔다.

"친구 많이 사귔냐?"

"아니, 니가 처음인데"

숙이는 잠시 할 말을 잃었다.

기분이 너무 좋았기 때문이었다.

하지만 숙이는 사택 쪽 언덕으로 내려가는 갈림길에 와 있었다.

"나 이쪽으로 가야 하는데?"

"그래? 그쪽이 사택 가는 길이구나? 그럼 잘 가"

"그래, 낼 보자"

숙이는 아쉬웠지만 헤어졌다.

집에 온 이후 자기 전까지 숙이는 실성한 여자처럼 입이 귀에까지 걸려 있었다.

다음날, 하교하려고 가방을 싸자 정수가 숙이에게 먼저 말했다.

"오늘도 같이 가자"

"그래"

숙이는 이 이쁜 남자아이의 첫 친구가 된 것이 너무 좋았다.

숙이는 어제 이후로 여자 친구만 친구라는 생각을 버렸다.

교문을 나서자, 정수는 숙이의 손을 잡았다.

숙이는 여자 친구들이 아닌 남자아이와 손잡는 것을 좋아하지 않았다.

학교에서 하는 댄스 시간만 빼놓고 남자아이와 손잡는다는 것을 숙이는 상상조차로 해 본 적이 없었다.

숙이는 태연한 척했지만 바짝 긴장되었다.

'서울 남자 아들은 원래 여자애들하고 손을 잘 잡나?'

절대 촌스러워 보이면 안 되었으므로 남자애들과 손을 자주 잡는 척했다.

그리고 씩씩하게 잡은 손을 앞뒤로 흔들며 걷기까지 하였다.

정수도 웃으며 숙이가 이끄는 대로 잡은 손을 앞뒤로 흔

들었다.

“숙아, 우리 집 갈래?”

“니네 집? 가도 돼?”

“응, 엄마가 누구든 친구 사귀면 데려오랬어”

숙이는 하교 하면 곧장 집으로 가야 한다는 엄마의 말이 기억 안 났다.

정수의 손에 이끌려 사택으로 가는 갈림길을 지나 버린 것이었다.

길이 낯설어 살짝 걱정되기는 했지만, 정수의 손이 너무 따뜻하고 좋아서 놓고 싶지 않았다.

사택과의 갈림길도 지난 지 한참이 되어 내리막길을 둘은 웃고 떠들며 손을 꼭 붙잡은 체 걸어 내려갔다.

내리막길에서 내려다보니 바다가 꽤 가까이에서 보였다.

그리고 거의 내리막길을 다 내려왔을 때 길모퉁이 쪽에 병원처럼 흰색의 2층 건물이 두 채가 나타났다.

그 앞쪽에는 작은 정원이 꾸며져 있었고 아기자기하게 서 있는 건물이었지만 숙이가 사는 세대수 많은 사택에 비하면 왠지 좀 쓸쓸해 보였다.

“저기야! 우리 집 관사”

“저기가 관사야?”

관사 앞쪽에는 한 아줌마가 어린 여자아이를 데리고 나와 있었다.

"정수야!"

그 아줌마는 정수의 엄마였다.

어깨까지 오는 단발머리에 서울 말씨를 쓰고 정수처럼 뽀얀 얼굴에 화장을 곱게 하였다.

정수네 엄마는 처녀 같으셨다.

정수네 엄마에 비하면 우리 엄마는 파마머리에 훨씬 나이가 더 드셨다.

"이애는 누구야?"

"엄마 숙이야. 내가 어제 말했잖아"

"네가 숙이구나?"

"안녕…하세요"

"숙아, 집에 들어가서 정수랑 과자 먹고 가"

숙이는 2층에 있는 정수네 집으로 들어갔다.

정수네는 숙이네에 없는 식탁이 있었다.

정수와 숙이는 정수의 여동생과 함께 식탁에 앉아 과자와 우유를 먹었다.

그날, 숙이는 집까지 한참을 걸어서 거의 해가 질쯤에야 집에 도착했다.

집에 도착한 숙이는 어제와는 달리 좀 시무룩해졌다.

저녁식사를 하다말다 숙이는 엄마에게 말했다.

"엄마, 엄마도 단발머리 하면 안 돼?"

뚱딴지같은 말에 엄마는 물론, 식구들 아무도 귀담아듣지 않았다.

시간이 지나면서 숙이는 정수와 친하게 지냈지만, 남자애들 사이에서도 인기가 많아진 정수는 이제 숙이와 하교를 같이 하지는 않았다.
그리고 다른 남자애들과 마찬가지로 축구를 하면서 놀았다.
숙이는 정수를 뺏긴 것 같았지만, 건너편 분단에 앉아서 가끔 숙이에게 말도 걸고 자주 웃어주기도 하였다.
가끔은 짓궂은 농담도 하여 숙이를 삐지게 만들기도 하였다.

한편, 여자애들 사이에서는 정수의 팬클럽이 형성되어도 좋을 정도로 인기가 좋았다.
하지만 여자애들 누구도 정수와 숙이가 친한 친구라는 것은 몰랐다.
아마 안다면 질투의 대상이 되었을 게 분명했다.

어느 날, 의문의 사건이 일어났다.
반 아이들이 숙이를 쳐다보며 수군거렸다.

이윽고 정수와 제일 친하게 지내던 반장이 다가 오더니 다짜고짜 따졌다.
“숙이 니가 한 짓이지?!”
“뭐가?!”
“화장실에 낙서 말야?!”
“무슨 낙서인데?!”
“몰라서 물어?! 화장실에 있는 낙서 말이야!”
하루 종일 반 친구들이 수군대던 게 이것 때문이었는가 보다.
숙이는 거칠게 자리를 박차고 일어나 화장실로 가 보았다.

[김 숙은 윤 정수를 좋아한다.
윤 정수는 김 숙을 좋아한다.]

‘헐, 이게 뭐람? 모두가 이걸 내가 썼을 거라고 생각한 건가?’

“그거 니가 한 거 맞지?!”
남자애들 몇 명이 정수 책상 주변에 걸터앉아서 기가 막혀 들어온 숙이에게 또 밀어 붙었다.
“나 아냐!”
숙이는 악을 쓰며 말했다.

"그럼 누가 쓴단 말야!"

숙이는 그 상황에서 숙이를 외면하고 앉아 있는 정수의 옆얼굴을 쳐다보았다.

그 하얀 얼굴이 빨갛게 상기되어 있었다.

그 사건이 있은 후, 숙이와 정수는 서로 얼굴을 쳐다보지 않았다.

어쩌다가 복도에서 만나도 아는 체 하지 않았다.

그런 상황이 숙이는 화가 나기도 하고 안타깝기도 했다.

그리고 사건 한 달 후였다.

선생님이 정수를 친구들 앞으로 불러내셨다.

"오늘 좀 슬픈 소식을 전해야겠는데, 전학 온 지 몇 달 안 됐지만 정수가 오늘부로 다른 학교로 다시 전학 가게 되었어요. 아빠가 군인이시라 이사를 가게 되었다네요."

미리 소식을 알지 못했던지라 반 친구들 모두 놀랐다.

울먹거리는 정수는 차마 친구들을 쳐다보지 못하고 말했다.

"친구들 그동안 친하게 지내줘서 고마워"

낙서사건으로 멀어진 정수에게 숙이는 뭐라고 말할 수가 없었다.

작별의 말도 건넬 수가 없었다.

‘잘 가, 정수야! 어디로 가는지는 몰라도 거기서도 잘 지내’

마음속으로만 인사했다.

정수가 떠났어도 낙서는 여전히 남았다.

어느 날 숙이가 용기를 내어 다시 그 낙서를 보러 갔을 때 숙이는 동글동글한 글씨체가 눈에 익었다.

그건 정수의 글씨체였던 것 같았다.

제9화 겨울연가

날씨가 부쩍 추워지더니 하루 종일 눈이 내렸다.

"펄 펄 눈이 옵니다. 하늘에서 눈이 옵니다. 하늘나라 선녀님들이 송이 송이 하얀 눈을 자꾸 자꾸 뿌려줍니다"

숙이네 작은방 유리창 밖으로 탁구공만 한 눈이 펑펑 내리고 있었다.

작은언니, 숙이, 오빠는 창밖을 몇 시간째 바라보고만 있었다.

수 시간 전에 갈아놓은 연탄이 잘 타고 있는지, 이불을 깔아 놓은 아랫목이 엉덩이가 데일 정도로 따끈따끈했다.

셋의 머릿속은 벌써 눈벌판과 얼음판을 내달리느라 뜨끈거리기는 매 한 가지였다.

작은언니와 오빠는 이번 겨울 새로 산 스케이트를 탈 생각에 들떠 있었다.

저녁 무렵이 되어도 눈은 그칠 생각이 없었고 밤새 소리 없이 소복소복 쌓였다.

다음 날 아침, 숙이는 일어나자마자 문풍지 문을 먼저 열어 젖혔다.

유리 창문 너머로 드디어 겨울왕국이 올해도 잊지 않고 찾아왔다.

눈곱도 떼지 않고 숙이는 벙어리장갑과 목도리 털모자와 장화를 챙겨 잽싸게 밖으로 나갔다.

일찍 일어난 동네 애들이 아빠들과 함께 나와 눈을 치우고 있었다.

숙이네 동네는 눈이 왔다 하면 허리까지 왔으므로 굴을 뚫거나 길을 뚫는 것이 눈 온 다음날의 풍경이었다.

누구랄 것도 없이 집집마다 눈을 치우러 나왔다.

자기 집 주변부터 시작하여 이웃집으로 그리고 운동장으로 마을 입구와 더 멀리 송정과 학교 언덕길까지도 온 동네에 길을 만들었다.

옆집 정례와 숙이는 서로의 집을 연결할 길을 스스로 뚫었다. 다 뚫고 나서는 세계회담에 나온 양복 입은 아저씨들처럼 악수를 했다.

"반갑구만~~ 반가워~~"

정오가 되어 갈쯤에는 온 동네가 거의 길이 뚫렸다.

동네 아이들이 눈사람을 만들기 시작했다.

작년에 앞 동네 애들이 집채만 한 거인 눈사람을 만들었었다.

그 눈사람은 온 동네 눈이 다 녹고도 한참을 더 서 있다가 녹았다.

아이들의 목표는 작년보다 더 크게 만드는 것이었다. 저마다 눈을 굴려 데지만 한 시간여가 지나면 대충 누구 것을 밀어줘야 할지가 보였다.

한쪽에서 거대 눈사람 만들기를 하는 동안 다른 쪽에서 고학년 언니, 오빠들은 이글루를 만드느라 시끌시끌했다.

나중에 꼬맹이들이 이글루에 들어가게 해달라고 울고 졸라대어도 고학년들은 자신들의 본부라면서 출입금지를 해놓았다.

[4학년 이상만 출입가능]

그렇게 많이 눈이 왔지만, 이틀이 지나 눈이 녹기 시작하면서 집집마다 처마에는 고드름이 주렁주렁 열렸다.

가을에는 사과를 따 먹으러 다녔다면 겨울에는 요 고드름 간식을 따 먹는 재미가 쏠쏠했다.

이상하도 매년 같은 집이 최고 맛있는 고드름으로 선정되었는데 제일 알이 굵고 투명하고 오독오독 소리가 나면서 맛이 틀렸다.

그 집은 동네에서 지붕 물받이가 가장 망가진 집의 고드름이었다.

보통 첫눈이 오고 나면 숙이와 친구들이 확인하러 매일 가 보는 곳이 있었다.

빛나는 호수는 겨울 동안 동네의 멋진 스케이트장이 되었다.

동네 아이들뿐 아니라 주변 지역 아이들에게도 유명해져 꽤 인기 있는 스케이트장이었다.

스케이트 대여를 하시는 분들, 스케이트 날을 가는 분들, 심지어는 솜사탕을 파시는 분들도 오시고 그 지역에서 겨울 한때 가장 핫한 장소가 되었다.

초겨울이라 육안으로 보아서는 살얼음 위로 눈이 덮여 꽁꽁 얼었는지 몰라, 누군가 희생양이 필요하기도 했다.

모두 숙이를 쳐다보았다.

작년 여름에 있었던 '대야 배 모험'을 기억하고들 하고 있는 거였다.

호기심 많은 숙이는 집에 있는 큰 대야를 엄마 몰래 호수에 띄우고는 나무 널빤지로 노를 저어서 호수 중간까지 갔었다.

될 거다, 안 될 거다 싸우던 친구들에게 자신이 직접 시범을 보여줬던 사건이었다.

"숙아, 호수 중간이 얼었을까?"

"나도 몰라"

"……"

"알았어. 내가 해볼게"

겁 없는 척 숙이가 말하자, 친구들이 숙이 뒤를 졸졸 따라갔다.

숙이가 태연한 척 얼음 가장자리에 발을 올리자, 친구들이 일제히 양옆에서 숙이의 양팔을 붙잡았다.

숙이는 있는 힘껏 발을 굴러 보았다.

"탁! 탁!"

"얘들아, 얼음이 다 얼었나 봐!"

얼음이 언 것이 확인되자 친구들도 얼음 위로 하나둘씩 올라왔다.

"와아 정말 딴딴하다! 이제 스케이트랑 앉은뱅이랑 탈 수 있겠다!"

친구들은 얼음 위를 미끄러져 보기도 하고 발로 굴러 보기도 하였다.

자신감이 든 숙이는 호수의 안쪽으로 더 들어가 보았다.

숙이가 발을 디디자 얼음이 엿가락처럼 서서히 늘어지는가 싶더니 한 쪽 발이 늪에 빠지듯 푹 얼음 속으로 들어가 버렸고 다른 한 쪽 다리도 딸려 들어갔다.

"엄마야!"

"야야! 숙이 빠졌다. 저기 저기 긴 막대기!"

숙이는 겨우 얼음 위에 두 손바닥을 펴서 개구리마냥 버티고 있었지만 이미 가슴까지 빠져 있었다.

"사, 살려줘~"

숙이는 개미만 한 목소리로 겨우 말했다.

한 친구가 긴 나무막대기를 숙이에게 늘어뜨리고 그 친구의 허리를 다른 친구들 모두가 감싸 안았다.

"숙아! 잡아 꽉!"

숙이는 손바닥을 내밀어 막대기를 붙잡았고 친구들은 뒤로 자빠지듯이 숙이를 끌어내었다.

물에서 어느 정도 빠져나오자 숙이는 얼음 위로 엉금엉금 기어 친구들에게로 왔다.

어찌나 놀랬는지 물이 차가운 줄도 몰랐다.

아침에 갈아입은 바지와 속옷 신발 모두가 젖어 버렸다.

"아으 어떡해~ 엄마한테 혼날 텐데"

숙이는 정신이 번쩍 들었다.

한 친구가 마을 옆 쓰레기장에서 불을 피워 옷을 말리자고 제안했다.

종종 쓰레기장에 와서 놀곤 했는데 주로 엄마가 제일 싫어하는 불장난을 하는 장소였다.

친구들이 흩어져서 불을 피울만한 쓰레기들을 주워왔다.

종이나 책, 마른 나뭇가지, 버린 목제가구 등을 주워서 몰래 숨겨두었던 성냥갑을 찾아와 불을 피웠다.

지난번에 구워 먹고 숨겨둔 감자도 가져와 동그랗게 주변에 모여 앉았다.

숙이는 불 옆에 바싹 붙어 불을 쬐었다.

“좀만 더 있음 얼음 다 얼을 거 같지?”

안색이 급 어두워진 숙이에게 한 친구가 말했다.

“응”

불을 꽤 지펴서 감자도 먹고 불은 화력을 더해 갔다.

“에취!”

“야, 안 되겠다. 이러다가 숙이 감기 걸리겠다. 우리 엄마랑 아빠 오늘 저녁에 어디 가셨다가 늦게 오신댔으니까 우리 집으로 가자”

다른 친구가 제안했다.

친구들이 숙이 옷과 신발을 집 부뚜막에 걸어 말렸다.

모두 아랫목에 이불을 덮고 앉아서 옷이 마를 때까지 기다리다가 저녁 늦게 집으로 돌아갔다.

좀 늦게 들어왔다고 야단은 듣겠지만 다행히 옷이 거의

다 말라서 숙이는 마음이 한결 가벼웠다.

그런데 집에 들어가려 하다가 어두운 벽에 기대 서 있는 오빠를 발견했다.

오빠는 옷이 흠뻑 젖어 있었다.

"오빠! 호수에 빠졌나?"

숙이는 아직 얼지도 않은 호수에는 뭐하러 갔었냐는 말투로 말했다.

오빠는 벙어리처럼 말없이 고개만 숙이고 있었다.

숙이는 의기양양하게 마루문을 열고 집으로 들어갔다.

그날 숙이는 무사히 엄마에게 넘어갔지만, 오빠는 야단을 맞았다.

겨울밤은 깊어만 갔다.

"찹쌀떡 사~려~어 메밀묵! 메밀묵 사~려~어 찹쌀떡!"

제 10화 빨리 어른이 되고 싶어요

숙이는 이상한 능력이 하나 있었다.

동구 밖에서도 숙이네 집에서 무슨 음식을 하는지 동물적으로 냄새를 맡을 수 있다는 거다.
먹는 걸 좋아해서인지 알 수 없지만 하여간 오늘 숙이는 집에서 200미터는 떨어진 하굣길에서 맛난 튀김과 지짐이 냄새를 맡았다.

아니나 다를까 헐레벌떡 가방을 마루에 집어 던지고 신발을 내동댕이치고 집안으로 뛰어 들어가자, 엄마와 함께 양쪽 옆집 아줌마들이 숙이네 집 부엌에서 맛난 튀김과 지짐이와 잡채까지 만들고 있지 않은가?

"엄마! 엄마! 오늘 무슨 날이야?"

"그래, 오늘 우리 집 반상회 하는 날이니까, 좀 이따가 옆집에다가 저녁 차려 줄 테니 옆집 애들이랑 먹어라"

우와 이게 웬 떡이람!

한 달에 한 번 열리는 반상회는 동네 애들이 손꼽아 기다리는 날이었다.

아빠들의 퇴근 시간인 6시 30분에 맞추어 동네 반상회가 열리는데 각 줄에 한 집씩 반상회를 준비했다.

반상회에서 엄마, 아빠들은 한 시간가량 회의를 하시고는 저녁 식사를 하셨다.

그리고는 밤새도록 춤을 추시고 술도 마시며 신나게 노셨다.

동네 애들은 반상회 날에는 유일하게 밤새도록 애들이랑 밖에서 놀 수 있었다.

주로 숨바꼭질과 귀신 놀이, 메뚜기 놀이를 하면서 놀았는데 평상시에는 허락되지 않는 시간에 노는 게 정말 정말 좋았다.

한참 친구들이랑 소리를 지르며 숨바꼭질을 하고 있는데 식사가 끝났는지 노랫소리가 들려오고 있었다.

술이 어느 정도 오르고 분위기가 무르익은 듯했다.

"노세, 노세 젊어서 놀아. 늙어지면 못 놀아용~~"

아이들도 신나게 노세, 노세 열심히 노세. 오늘 지나면 못 놀아용~

숙이는 애들이랑 재미나게 놀고 또 놀았다.

시간은 거의 자정이 넘어가고 슬슬 졸려오고 있었지만 숙이네 집 안방 문풍지문으로 비친 엄마 아빠들의 그림자는 여전히 춤추며 놀고 계셨다.

저렇게 재밌게 어른들이 놀고 있는 것을 보면 숙이도 빨리 어른이 돼서 부모님들처럼 신나게 춤추며 놀고 싶었다.

사실 숙이의 꿈은 댄스가수였다.

뭐, 작년까지는 발레리나 아니면 피겨스케이팅 선수였지만 최근에 숙이의 꿈은 가수로 바뀌었다.

그건 TV에서 '둘리스'의 내한 공연을 보고 난 이후에 그 감동으로 가수가 되고 팠던 것이었다.

사실 '둘리스'의 광팬은 다름 아닌 큰언니였다. 숙이도 귀동냥으로 큰언니가 듣는 팝송을 따라 들으며 가사도 열심히 외었다.

숙이는 '둘리스'처럼 멋진 밴드에서 춤추며 노래 부르고 싶었다.

동네에서 숙이처럼 가수의 꿈이 있는 또 한 사람의 능력자가 있었으니 같은 줄에 살고 있는 한 살 위인 세진언니였다.

"숙아 니가 '둘리스' '원티드' 부를 줄 안다면서?"

"응, 그런데?"

"그러면 너랑 나랑 누가 더 잘 부르는지 시합해 볼까?"

"좋아!"

이래서 동네에서도 전설적인 세진언니와 숙이의 노래 배틀이 시작된 것이었다.

제일 먼저 타깃은 운동장 옆 큰 평상에 앉아 계시는 할머니들을 공략했다.

세진 언니가 자신 있게 나서더니 독한 언니답게 할머니들한테 말했다.

"할머니~~ 야하고 저하고 누가 더 잘 부르는지 봐 주세요"

둘의 표정은 냉소적이지만 다부졌다.

어느 틈에 운동장서 놀고 있던 애들까지 모여들었다.

둘이 할머니들을 등지고 무대에 서고 한쪽 손은 마이크를 들듯이 입으로 가져다 대고 반대편 손은 '둘리스' 언니들처럼 하늘로 치켜들었다.

드디어 배틀이 동시에 같이 시작되었다.

둘은 엉덩이를 이리저리 씰룩씰룩 대다가 갑자기 뒤돌아서면서 할머니들 쪽으로 손가락을 가리키며 저마다 야성적인 표정으로 춤추며 노래를 불러대기 시작했다.

"요니 카니 가이 나니, 카나 키쁘웨이 바 이또 오~~~~~ 라이~~~~!"

(You're the kind of guy that I gotta keep away But It's all right)

할머니들은 신나서 엉덩이를 들썩거리시며 해병대 박수를 쳐대기 시작하셨다.

박수 소리와 환호 소리가 커지면 커질수록 숙이는 세진언니를 꼭 이기고 싶었다.

'독한 언니 같으니라구!'

큰 박수 소리와 휘파람 소리로 배틀은 끝났다.

당돌한 세진언니는 숨을 몰아쉬며 할머니들에게 물었다.

"자 할머니들! 이제 누가 더 잘했는지 판정해 주세요!"

"아이고 누가 더 잘하긴, 둘 다 너무너무 잘했지"

모든 할머니들은 이구동성으로 둘 다 똑같이 비겼다고 말해 주셨다.

"안되겠어! 할머니들 앞에서는 비겼네. 그럼 저쪽은 어때?"

독한 언니 세진이 가리킨 것은 동네 하수도 공사를 하고 계시는 아저씨들이 6명 정도 있는 곳이었다.

"좋아!"
숙이와 세진언니가 다시 자리를 이동하자, 구경하던 아이들이 줄줄이 그 둘을 쫓아왔다.
그중에는 벌써 팬이 생겼는지 응원의 소리도 있었다.
"숙이 파이팅!"
"세진이 이겨라!"
둘이 하수도 공사장 앞으로 다다랐다.
"아저씨! 저희 둘이 오늘 노래 대결할 건데 누가 더 잘하는지 봐 주세요!"
"좋아, 좋아 어디 한번 해봐라"
아저씨들은 일제히 작업을 멈추고 구경을 하러 땅바닥에 주저앉았다.
역시 '엉덩이 씰룩춤'과 동시에 둘은 아는지 모르는 지 영어로 된 '둘리스'의 '원티드'를 있는 힘껏 부르며 격렬하게 춤을 추었다.
아저씨들은 좋아들 하시며 박수를 치셨다.
하지만 아저씨들도 둘 중에 누가 더 잘했는지 판정해 내시지는 못했다.
이렇게 전설적인 숙이와 세진의 동네 배틀이 무승부로 끝났다.

숙이네 반친구들끼리 미스코리아대회를 열었는데 미스서

울로 출마한 숙이는 이 '둘리스'의 '원티드'로 미스코리아 진이 되었다.

그리고 세진언니를 찾아가 따졌다.

"언니 이번에 반친구들이랑 한 미스코리아대회에서 내가 진이 되었으니 내가 이긴 거야"

"아니~~ 이번에 소풍 가서 반 장기자랑 시간에 이거 해서 나도 일등 먹었어"

결국, 둘의 실력은 판가름이 나지 않았다.

숙이는 친척들 앞에서도 거침없이 춤추고 장기자랑을 했는데 항상 어른들의 큰 박수와 더불어 용돈까지 받았다.

큰언니는 그런 숙이를 보더니 어이없어했다.

"니 가사 내용은 뭔지 알고 부르냐?"

"아니"

숙이는 당연히 영어를 못했으므로 내용을 모르는 것은 당연했다.

하지만 상관없었다.

숙이는 어른이 되면 무조건 가수가 될 거니까.

제11화 평생 기억해야할 교훈

새 학년 새 학기가 되면 많은 것이 바뀌지만, 그 중 하나가 짝꿍이 바뀌는 것이었다.

작년 한 해 동안 친했던 짝꿍과 작별하고 숙이도 새 짝꿍을 맞이했다.

작년에 짝꿍과 그 주변에 앉았던 친구들이랑 워낙 친하게 지내서 짝이 바뀌는 것이 싫었다.

게다가 이번에 바뀐 짝꿍이 숙이는 영 맘에 들지 않았다.

3학년이 되기 전에 2년간 같은 반에 있었지만 그렇게 친하게 지내지 않았던 친구인 데다가 그 친구가 작년에 한 친구와 대판 싸우는 것을 보고는 마음속에 부정적인 마음이 많았다.

그래서 그런지 짝이 된 지 일주일이 지났지만, 대화를 거의 하지 않았다.

게다가 사소한 것으로 툭툭 좋지 않은 말들이 서로 오고 가기 시작했다.

숙이는 작년에 친했던 친구들하고만 놀았다.

어느 날부터인가 숙이는 물건을 하나, 둘 잃어버리기 시작했다.

분명 가방에 넣어 두었는데 감쪽같이 사라지곤 하였다.

큰맘 먹고 용돈을 아껴 샀던 지우개랑 불량식품이랑 100원짜리 동전이 사라졌다.

숙이는 누구에게도 말하지는 않았으나 새 짝꿍을 의심하기 시작했다.

그래서 시치미를 떼고 있는 그 아이가 더 미워졌다.

매주 마다 있는 "저축의 날"이었다.

보통 숙이는 이 날에 100원씩 저축을 했다.

그렇게 차곡차곡 쌓여 제법 통장이 묵직해져서 볼 때마다 빙그레 웃음이 나왔다.

하지만 저축하려고 통장을 찾았으나 통장이 온데간데없었던 거였다.

집에서 통장을 챙겨 가방에 넣은 후로 전혀 꺼낸 적이 없었기에 귀신이 곡할 노릇이었다.

숙이는 가방에서 물건들을 꺼내고 구석구석을 모두 뒤지고 책상 서랍 속도 들여다보아도 통장은 나오지 않았다.

“어? 이상하다”

숙이는 그렇지 않아도 사이가 좋지 않은 새 짝꿍에게 다짜고짜 따져 묻기 시작했다.

“야, 니 내 가방 뒤졌나?”

“아니”

새 짝꿍은 부인했다.

하지만 숙이는 새 짝꿍에 대해 쌓였던 의심이 올라오기 시작했다.

“그럼, 통장이 어디로 사라진단 말야?”

“몰라, 나도”

짝꿍이 시치미를 떼고 있다고 생각한 숙이는 자기도 모르게 화가 치밀어 올랐다.

“니가 가져 간 거 아냐?”

“내가 왜?”

두 사람의 언성이 올라가자 주변 친구들이 주의를 기울이기 시작했다.

친구들이 하나둘씩 모여들었다.

친구들이 모여들자 새 짝꿍은 당황했고 숙이 더 열이 뻗

쳐 소리를 질렀다.

"빨리 내 통장 내놔!"

모여든 친구들 중에서 친한 친구 몇 명이 숙이 팔을 잡고 그 상황에서 끄집어내었다.

그리고 복도로 숙이를 데려간 후 물었다.

"정말로 제가 니 통장 가져갔어?"

"집에서 넣어 와서 한 번도 안 꺼냈단 말야!"

숙이는 기어코 닭똥 같은 눈물을 흘리기 시작했다.

그즈음 되니까 친했던 친구들은 숙의 말에 앞뒤 가리지 않고 동조하기 시작했다.

"뭐 저렇게 나쁜 애가 다 있냐"

"선생님한테 일러야겠어"

"그러게 말야, 혼내줘야 해"

숙이는 친구들의 동조에 서러웠는지 더 큰 소리로 울기 시작했다.

울음소리가 커지자 교실에서 반장이 기어코 나오고 말았다.

"숙아, 정말로 통장 잃어버린 거야?"

숙이는 억울한 듯 울고만 있었고 친구들이 대변인이라도

된 듯 반장에게 이르고 있었다.
"그렇다니까"
반장은 정황을 확인하기 위해 물었다.
"그럼 숙이 니 짝이 니 통장 가져갔어?"
역시나 숙이의 대변인 친구들이 답했다.
"그래, 숙이 짝이 아무래도 가져간 것 같어"
"그럼 일단 알겠어. 오늘까지 통장 찾아보고 안 나오면 선생님께 말씀드릴게"

반장이 다녀간 후 친구들은 겨우 숙이를 달래고는 교실로 들어 왔다.
숙이가 교실로 들어와 자리에 앉아 흘긋 옆자리에 짝꿍을 보았더니 반장까지 알게 된 터라 얼굴이 사색이 되어 있었다.
그리고 거의 울 것 같은 목소리로 조용히 숙이에게 말했다.
"나 정말 니 통장 안 가져갔어"
"……"
화가 단단히 나버린 숙이는 대꾸하지 않았다.

하루 수업이 끝날 때까지 둘의 분위기는 냉랭했고 반 분위기도 얼어 있었다.

이윽고 선생님의 종례시간에 반장이 일어나 말했다.

"저...선생님 숙이가 오늘 통장을 잃어버려서 저축을 못 했다고 합니다"

"그래? 숙이는 가방을 잘 찾아본 거야?"

숙이는 선생님의 물음에 울 것 같은 목소리로 말했다.

"예..."

"그래도 모르니까 지금 다시 한 번 잘 찾아봐"

선생님의 말에 숙이는 가방을 책상 위에 올 놓고는 물건들을 다시 한 번 차례로 꺼내기 시작했다.

그. 런. 데.

가방 앞 지퍼를 열고 물건들을 꺼낸 후 옆 가장자리를 보니 가방 옆의 바느질이 터져 있었다.

숙이는 그 터진 부분으로 손을 넣어 보았다.

그 속에는 요 근래 마술처럼 사라져서 숙이를 "짝꿍 무한 의심의 세계"로 몰고 갔었던 물건들이 한둘씩 나오기 시작했다.

지우개와 불량식품, 동전, 그리고 물론 통장도 그 터진 주머니 속에서 나왔던 것이었다.

그 물건들을 보고 가장 충격을 먹은 것은 숙이였다.

그동안 계속해서 짝을 의심해 온데다가 오늘은 급기야 친구들이 보는 앞에서 사건을 부풀렸기 때문이었다.

그것을 보고 소리를 지르며 숙이의 머리를 때린 것은 짝꿍이었다.

“딱!”

“거봐! 내가 아니잖아!”
자기도 모르게 숙이 머리를 때렸지만, 얼굴은 어느 때보다도 밝게 웃고 있었다.
그동안 의심을 받은 것이 못내 괴로웠는데 오해가 풀려 홀가분해진 것이었다.
하지만 그 순간 숙이는 쥐구멍에라도 들어가고 싶은 심정이었다.
얼굴이 빨갛게 달아올라 제대로 고개를 들지 못했다.

그 일이 있은 후 숙이는 세상에서 가장 조심해야 할 친구는 자신의 마음속에서 밑도 끝도 없이 속삭이는 그 친구라고 생각했다.
그리고 그 교훈을 평생 기억하기로 마음먹었다.

3학년이 끝날 때쯤 그 짝꿍은 가장 친한 친구가 되어 있었다.

제12화 소원

숙이는 먹는 걸 좋아했다.

먹는 걸 싫어하는 애들이 있을까?

숙이는 남들이 무엇인가 먹는 것을 보면 참을 수가 없었다. 그래서 최대한 불쌍한 얼굴로 다가가서 애처로운 눈빛으로 작은 검지손가락을 살짝 내려 보이면서 말했다.

"나 한 입만~~"

그 방법은 거의 80%가 먹혔다.

언어먹기의 달인인 숙이는 상대를 가리지 않는다.

대개는 엄마들이 시장에 다녀오는 날이 대목이었다.
매의 눈으로 숙이는 레이더망을 열고 그 타고난 개 코의 콧구멍을 활짝 열어서 가장 맛있는 것을 사 가지고 온 집을 공략했다.
딱 찍혀버린 친구의 집으로 달려가 집 앞을 왔다 갔다 하다가 안에서 별 반응이 없거나 자기네들끼리 무언가 먹고 있으면 때를 놓치지 않고 친구의 이름을 불렀다.

"정례야, 놀~ 자~"

그러면 안에서는 정례의 엄마 목소리가 마지못해 들려 왔다.

"숙아, 들어와서 튀김 먹어라"

허락이 떨어지자마자 숙이는 신발을 날려버리고 들어가 웃으며 튀김 한 조각을 얻어먹는 것이었다.
요 방법은 정례가 가끔 따라 하는 방법이기도 했는데 이런 방법은 널리 알려서 활용해야 한다는 게 숙이의 생각이었다.

숙이의 이런 얻어먹기 신공은 아빠에게도 통했다.

아빠가 새벽 출근이시면 엄마는 밥 대신 아빠에게 분유를 타 주셨다.

분유는 아빠가 출근할 때 밥 대신에 먹는 음식이었으므로 숙이네 아이들은 절대 분유에 손을 대지 않았다.

하지만 숙이는 숙이 만의 방법으로 항상 이 분유의 맛을 보곤 했는데 새벽에 아빠가 출근하실 때 일어나 똥그란 눈으로 아빠 옆에 앉으면 아빠는 분유를 두 모금 정도 남겨 주셨다.

그뿐 아니라 아빠만 마시는 커피도 이런 방법을 얻어먹었고 아주 드물게는 밤늦게 아이들을 모두 재우고 엄마가 몰래 아빠에게만 해주신 백숙도 혼자 깨어서는 기어코 얻어 먹었다.

숙이네 엄마는 아빠만 먹는 몸보신 음식을 숨겨 놓으셨는데 숙이네 아이들 중에서 이것을 알고 있는 것은 숙이뿐이었다.

아주 가끔 숙이는 집에 아무도 없을 때 의자를 놓고 벽장을 열어 숨겨진 커다란 단지에서 준비한 숟가락으로 크게 퍼서는 입안 가득히 쑤셔 넣었다.

그것은 들깨와 꿀을 혼합한 것이었는데 그 맛이 기가 막혔다.

그래서 숙이는 언니들이나 오빠에게 절대 그 꿀단지의 소재를 말해주지 않았다.

어느 날 정례를 만났다.

정례는 마을 슈퍼에 가는 중이었다.

눈치가 빠른 숙이가 어떻게 그냥 지나칠 수 있겠는가?

숙이는 정례에게 친한 척 붙어서 따라갔다.

오늘따라 정례가 당당하게 슈퍼 문을 박차고 들어가서는 10원짜리 눈깔사탕 10개와 50원짜리 과자를 2개 샀다.

뜻밖에 너무 많은 과자를 사자, 숙이의 식탐은 왕성하게 자극되었다.

최대한 불쌍한 표정과 눈빛을 준비하고 검지손가락에 힘을 빼고 있는 순간, 세상에 정례가 눈깔사탕 2개와 과자를 하나 주는 것이었다.

숙이는 어리둥절하여 사탕과 과자를 받았지만 꿈인지 생시인지 구분이 안 되었다.

정례는 기분이 좋아 보였다.

그러더니 주머니에서 푸른색 만 원짜리를 불쑥 꺼내어 계산대에 놓았다.

숙이가 눈이 똥그래져서 보고 있는 사이 정례는 꽤 많은 잔돈을 다시 주머니에 쑤셔 넣고 있었다.

“정례야, 그거 니 돈이야?”

“응, 엄마가 줬어”

"만원이나?"

"응"

숙이는 깜짝 놀랬다.

숙이는 100원 이상을 용돈으로 받아 본 적이 없었기 때문이었다.

어쨌든, 숙이와 정례는 과자를 맛나게 먹었다.

정례는 과자나 사탕을 달라고 하는 친구들에게 스스럼없이 나누어 주었다.

그러더니 주머니에서 돈을 꺼내 또 동네 슈퍼에 가자고 했다.

이번에는 숙이 눈에 불이 번쩍 켜졌다.

정례보다도 먼저 슈퍼로 뛰어 들어가서 빵 2개를 냉큼 집어 정례에게 보이며 말했다.

"정례야 나 빵 사줘"

"응"

정례는 거리낌이 없었다.

이게 웬 놈의 떡인지.

하지만 정례는 그 자리에서 보름달 빵을 20개를 샀다.

그리고는 슈퍼를 나와 친구들을 만나면 빵을 하나씩 나누어 주었다.

빵을 나누어 가진 친구들은 돌아가서 다시 친구들을 데리고 와서 빵을 구걸하기 시작했다.

그런데 정례라는 녀석은 알겠다는 듯이 다시 슈퍼에서 빵과 과자를 사서 아이들에게 나누어 주었다.

숙이는 안달이 났다.

'어, 어, 이럼 안 되는데...'

이 자선사업은 비극적인 결말로 끝났다.

빵 나눠주기의 정체는 정례네 엄마가 오면서 밝혀졌다.

"정례야, 니 서랍에 엄마 돈 만 원 가져갔나?"

헉!

이일을 어쩐다냐!

정례는 엄마에게 목덜미를 잡혀서 딸려갔다.

숙이는 심히 불안하고 걱정스러웠다.

그 걱정은 당장 현실로 나타났는데 어떻게 아셨는지 엄마가 잔뜩 화가 나서는 귀가한 숙이를 불렀다.

"숙아, 니가 정례랑 돈을 훔쳐서 애들한테 빵 나눠 줬냐?!"

"아냐! 난 아냐! 정례가 그런 거야!"

"만 원씩이나 애들한테 빵 사줬냐고?!"

"아냐! 그것도 정례가 한 거야!"

"그래도 이 기집애가 엄마한테 맞아야 정신을 차릴래?! 어디서 돈을 훔쳐!"

“아니란 말야! 아흑흑!”

결국 숙이는 울음을 터트리고 집 밖으로 나와 버렸다.

저녁 시간이 지나서 밖은 벌써 어두웠다.

울면서 나와 옆집 앞을 보니 정례가 집 앞에 웅크리고 앉아있었다.

숙이는 울음을 멈추고 정례에게로 다가갔다.

흘깃 숙이를 쳐다본 정례의 눈은 퉁퉁 부어 뻘겋게 상기되어 있었고 종아리를 맞았는지 한쪽 손으로 종아리를 쓸고 있었다.

“……”

“……”

둘은 한 동안 아무 말 없이 앉아 있었다.

그러다가 숙이가 먼저 말을 꺼냈다.

“너무해, 만원 때문에”

“……”

정례는 서러운지 다시 눈물을 닦았지만, 소리를 내지는 않았다.

“어른들은 너무해, 우리 이다음에 돈 많이 벌자, 응?”

정례를 달래 보려고 숙이는 말했다.

정례는 말없이 코를 들어 마시며 고개를 끄덕였다.

“이다음에 100만 원 벌면 그걸로 뭐 할 거야?”

숙이가 갑자기 생각난 듯이 물었다.

"과자 사 먹을래"

정례가 배시시 웃으며 말했다.

"그래, 과자 사 먹자! 그리고?"

숙이는 신이 나서 또 물었다.

"새 인형 살래"

정례는 이제 기분이 좀 풀린 것 같았다.

"난 스케이트!"

숙이도 기분 좋게 말했다.

그러다가 정례가 말했다.

"울 아빠 자전거 사드려야지"

정례네 아빠는 걸어서 회사까지 다니셨다.

그 말에 숙이는 잠시 생각하다가 말했다.

"난 맛있는 거 많이 사드려야지"

먼 밤하늘에서 길게 포물선을 그리며 별똥별이 떨어지고 있었다.

이젠 어른이 된 친구가 보낸 편지

제 1 화 봄비가 내리는 장날

여는 화창한데 거는 오는구나.
한 나라 안인데 어케 그렇게 다르나.

여는 장날이 없는데 거는 장날이구나.
어릴 적 가장 좋아했던 3, 8일 장날!!!

우리 엄마 돈 많이 버는 날
그날 저녁에 옹기종기 모여
엄마 허리춤의 가뜩찬 천 원짜리를
고사리 손으로 정리하며 또 세며,
행복했던 장날!!!

엄마가 없으니 그 장날도 의미가 없고
그녀가 없으니 그녀 생각에
그 곳에 가본지 어언 3년이 넘었구나.

가슴한끝이 아련해 오는 봄날의
봄비가 내리는 동해 장터
그 곳에 리어커 끌고 동생들 태우고 다니던
내 어린 시절이 그대로 녹아 있구나!!!!

어느 봄날에 문희가

이젠 어른이 된 친구가 보낸 편지

제 2 화 엿장수 아저씨

"짝짝짝짝~고물사요~"

"짝짝짝짝~고물사요~"

담 너머 저 멀리서 들려오는 귀 익은 엿장수 아저씨 가위소리!

마당에서 흙장난 하던 '코 찔찔이' 현수는 축담에 앉아 나물을 다듬고 계시던 할머니에게

"할매! 엿 사줘~ 할매 엿!"하며 옷깃을 잡아당기며 조르기 시작하더니

"먹고 죽을 돈도 없다"는 할머니의 말이 끝나기가 무섭게 울음을 터뜨렸다.

흙 묻은 얼굴에 눈물과 콧물 범벅이 된 현수에게
"나를 팔아 엿 사무라!"며 가~물을 지르는 야속한 할머니!

엿장수의 가위소리는 점점 멀어져가고 땅바닥에 주저앉아 대성통곡 할 때쯤이면 어김없이 할머니 고쟁이 속, 주머니 쌈짓돈이 나올만한데 오늘은 끝내 역정만 내시는 할머니!

"이놈은 누굴 닮아 이렇게 땡깡을 부리는지~"

이윽고 자리에서 일어나 정지로 들어가신 할머니는 아직 물기도 덜 마른 철밥 그릇 하나를 들고 나오신다.
"아나! 이거 갖고 가 엿 바꿔 무라!"며 내밀자, 현수는 언제 울었냐는 듯 철밥 그릇을 받아들고 쏜살같이 골목어귀를 돌아 엿장수 아저씨를 쫒아간다.

"아요!"
쑥스러운 듯 철밥 그릇을 내미는 현수를 물끄러미 쳐다보던 낡은 밀짚모자를 쓴 깡마른 엿장수는 "너그 집 어디노?" 하며 꾸중하듯 물어 보더니 현수를 앞 세워 골목을 돌아 대문 없는 마당 깊은 집으로 들어선다.

"아줌마요! 야가 밥그릇을 들고 나왔네요!"
"제가 엿 바꿔 무라고 줬는데요!"
"허허!"

이 상황을 짐작이나 한 듯 엿장수는 빈 니어카 위 합판으로 짠 엿판의 뚜껑을 열더니 엿 자르는 쇠뭉치를 넓은 엿판에 대고 능숙한 손놀림으로 엿가위로 쳐서 엿 두 조각을 떼어내더니 현수 손에 쥐어준다.

"아나! 이거 묵고 할머니 애맥이지 말그래이~"하며 돌아섰다.

"고물사요~~~짹짹짹짹 짹짹짹짹"

한 손엔 철밥 그릇을, 한 손에 떨어질세라 꼭 쥔 엿가락을 들고 현수는 엿장수가 대문을 돌아나갈 때까지 꼼짝 않고 서 있었다.

어린 시절을 그리며 현수가